하나님의 은혜로 평생신앙

이것이 나의
간증이요!

강훈경 지음

이것이 나의 간증이요!

인 쇄 : 2024년 5월 1일 초판 1쇄
발 행 : 2024년 5월 8일 초판 1쇄
지은이 : 강훈경
펴낸이 : 오태영
출판사 : 진달래
신고 번호 : 제25100-2020-000085호
신고 일자 : 2020.10.29
주 소 : 서울시 구로구 부일로 985, 101호
전 화 : 02-2688-1561
팩 스 : 0504-200-1561
이메일 : 5morning@naver.com
인쇄소 : TECH D & P(마포구)

값 : 10,000원
ISBN : 979-11-93760-10-9(03230)

하나님의 은혜로 평생신앙

이것이 나의 간증이요!

강훈경 지음

진달래 출판사

약력

1940년 2월 21일 함경남도 북청군 신포읍 출생
할아버지는 강 문기, 할머니는 전 원악.
아버지는 강 형수 영수, 어머니는 이 혜순 권사.
부모님의 둘째 아들로 태어남.

3대째 믿음의 가정에서 유아세례부터 시작한 믿음의 삶. 안수집사회장 역임, 명예장로.

6.25를 겪다 보니 국민학교를 여섯 군데 다녔고 서울서 건국대학교 축산대학(축산가공학과) 3학년을 수료하고 군 생활(약제계) 제대 후 복학. 졸업 후 꿈장어 가죽 만드는 유원개발의 공장장으로 근무. 천안에 있는 일본합자회사(코리아와코루, 화강섬유)에 과장으로 근무. 수경재배 연구하여 푸른수경원 운영. 길동에 철물점을 인수해 처가 주로 운영. 마천동에 연립주택을 사 이사하여 살다 재건축되어 현재 서울시 송파구 여미지 아파트에서 주택 연금으로 생활.

목 차

편집자의 말

믿음의 3대로 평생 신앙생활하며 살아오신 강훈경 장로님께서는 몇 차례의 죽을 고비를 넘기신 후 마지막 사명으로 간증할 이유를 쓰기 시작하셨습니다.

함경도에서 태어나 부유한 가정에서 자랐지만 이북의 공산주의 정권하에서 신앙생활하기가 힘들어 할아버지의 인솔로 모든 가족이 어렵게 탈북 하셨습니다. 6·25전쟁을 거쳐 부산에서 피난살이하며 살다가 서울에서 대학을 다니던 중 군복무를 하고 제대 후 복학하여 졸업한 뒤 직장생활, 결혼생활을 하면서 교회 성가대를 빠지지 않고 찬양하며 믿음의 생활을 하셨습니다. 장로님께서는 삶 가운데 만난 수많은 하나님의 은혜를 간증하지 않으면 안 된다는 사명감을 가지고 이 책을 쓰셨습니다.

전혀 모르는 사람들을 통하여 하나님의 도우심으로 출판사를 운영하는 저를 만나게 되어 이렇게 하나님의 은혜를 드러내며 감사하며 영광을 올려드리게 하신 하나님께 저 또한 장로님과 함께 감사를 드립니다.

- 진달래 출판사 대표 오태영

1부

북한에서 보낸
어린 시절

시골집

　저의 문중의 믿음의 조상이신 강문기 할아버지의 이야기부터 시작하겠습니다.

　저의 고향은 함경남도 북청군 신포읍 노평리 555번지로 사과 과수원을 뒤에 두고, 시멘트콘크리트 바닥을 기초로 한 사랑채가 딸린 방이 5채와 부엌과 집을 둘러 기억자로 창고와 지하의 사과저장고 또 외양간과 돼지우리와 닭집이 둘러있는 시골집 치고는 매우 든든하고 큰 기와집 이였습니다. 논과 밭도 꽤 많은 제법 잘사는 농가였습니다.

　할아버지는 키가 6척이 넘으시고 힘이 장사이셨습니다. 일본 식민지 초기시대라 일본에서 어려운 사람들을 우리나라에 불러 들여 엿 장사를 시켜 아이들을 꾀어 놋그릇을 수거하여 전쟁무기를 만들었습니다.

　어느 목사님의 설교말씀 중에 이 시절에 집에 깊숙이 간직 했던 태극기와 문중 족보까지 들고 나가 엿과 바꾸어 먹고 아버지한테 종아리를 매우 심하게 맞았다고 하셨습니다. 또 심지 뽑기로 사기 쳐서 갈취하는 것을 할아버지께서 보시고 울분을 참지 못하셔 잡아 도랑에 처박아 발로 밟고 더러운 물을 먹이곤 했답니다. 때문에 일본 경찰에 잡혀가 많은 매를 맞고 며칠씩 구류 당하기 일쑤여서 유치장의 좋은 자리의 뒷벽에 할아버지 이름을 크게 써놓아 죄수들이 들어오면 아무도 그 자리에 앉지 못했답니다.

감옥에서 만난 예수님

　1919년 3월1일, 역사적인 3·1운동이 일어난 때에 많은 사람들이 학살당하고 끌려가 옥에 갇혔을 때 할아버지께서도 옥에 갇혀 있을 때였습니다. 기독교 교인들은 다른 사람들과 딴방에 가뒀습니다. 그런데 이분들은 모두 같이 기도하고 밤늦게까지 조용히 찬송을 계속 불렀답니다. 할아버지께서는 무슨 영문인지 알지 못했습니다. 죄인으로 잡혀왔음에도 노래가 나올까? 하며 이상히 생각 하셨답니다. 다음날도 또 그 다음 날도, 이유를 알고 싶어서 교도관을 불러 나도 예수쟁이니 저분들과 같이 있게 해 달라고 부탁하니 허락을 받아 기독교인들의 방에 들어가 석방 때까지 같이 지내셨답니다.

　그 후 그때 일을 까맣게 잊어버리고 여러 달 지난 어느 날 감방에서 예배 인도하셨던 전도사를 길에서 우연히 만나게 되셨답니다. 그분이 다짜고짜 "예수님을 잘 믿고 있으십니까?" 하고 물으셨을 때 "아니오?" 하며 아무렇지도 않게 대답하셨답니다. "감옥소 예수쟁이구먼." 그 한마디 남기고 만나서 반갑다고 인사하기도 전에 획 가 버리더랍니다. 그 이후

"감옥소 예수쟁이구먼." 하던 말이 자나 깨나 머리에 떠올라 일상생활을 제대로 할 수 없어, 그해 농번기 때부터 해마다 훌륭한 목사님을 찾아 평양, 원산, 평안도 함경도 등을 다니면서 믿음을 쌓으셨답니다. 함경남도 북청군 신포읍 영무리의 바닷가 메밀밭에 '영무교회'를 짓고 폐결핵으로 쉬고 계신 백목사님[성함은 기억나지 않음]을 교회 옆에 사택을 지어 모시고 하나님 말씀을 전하게 하셨답니다. [1920년9월9일 교회설립] 할아버지께서 1929년 8월 13일에 장로 임직을 받으셨답니다. 우리 집 윗방은 예배드리는 방으로 입구 왼쪽 구석에 책상과 의자가 있고 큰 방 한가운데는 최후의 만찬 때 쓰셨던 큰 탁자를 그대로 본 따 그 크기로 만드셔서 방 중앙에 놓으시고 매일아침 식사 전에 안방에 상을 차려 놓고 윗방 예배 방의 대형 예배상에 둘러앉아 아침예배를 드리고 안방으로 내려와 모두 모여 식사를 하시곤 했습니다.

제사거부

예수님을 믿기 시작하면서 큰일이 생겼습니다. 대단한 양반집인지라 이성계 둘째부인 강 씨의 계열이라 많은 제사가 있었는데 십계명의 제일은 '너는 나 외에는 다른 신들을 네게 있게 말찌니라(출 20:3).' 하신 말씀에 할아버지께서는 단호히 거절하셔 결국 호적에서 파여 나갈 뿐 아니라 우리 대에서부터 이름 끝에 붙는 '재' 자 돌림자 항렬까지 쓸 수 없어 아버지께서 저의 대부터 '경' 자로 정하셨답니다.

할아버지께서는 맏이신 아버지를 서울에 있는 피어선 성경보통학교에 유학시키셨습니다. 셋째이신 막내 삼촌은 폐결핵으로 고생하시는, 할아버지께서 출입금지 하신, 백 목사님을 시간이 생기는 대로 할아버지 몰래 방문하셔 하나님의 말씀을 경청하시길 그렇게 좋아하셨답니다. 결국 막내삼촌도 요도결핵염으로 고생하시다 월남하신 후 6·25사변 3개월 전에 돌아가셨습니다.

남한에 나와서도 아버지와 저와 바로 밑 남동생도 폐결핵으로 보건소에서 약을 타 먹었습니다.

북한 땅이 공산국가가 되자 할아버지를 위시하여 아버지와 막내 아버지도, 조만식 선생님을 따라 남한의 민주주의를 찬성하셔서 둘째 고모부이신 온창덕 씨[6·25 후에 들으니 정치수용소에서 오랫동안 고생하시다 돌아가셨다고 함]를 당수로 신포 민주당을 창설하고 조직을 운영하셨답니다. 그러나 큰삼촌은 공산당원으로 활동하셔서 할아버지와 만나시면 이념 차이로 매우 다투셨습니다. 결국 막내 삼촌은 1947년 봄에 탈북을 하셨고 이어서 가을에는 아버지께서 탈북하셨습니다. 이후 우리 집은 감시가 매우 심했습니다.

초등학교 입학

　제가 7살 때 초등학교에 입학했을 때도 저는 사상이 무엇인지 알지 못 했습니다. 학교생활이 매우 재미있었습니다. 시험만 치면 5점 {만점}이어서 공부가 너무나 재미있었습니다. 미술시간에 지금까지 국기가 태극기였는데, 인민공화국 국기로 바뀌었다고 새로 배워 도화지에 그렸습니다. 그림을 좋아하는 저는 신이 나서 정확히 멋지게 인민공화국 국기를 그려 선생님께 크게 칭찬을 받고 너무나 좋아서 집에 와서 안방에서 중간방문에 붙이고 어른들의 마음을 모르는 저는 혼자 좋아서 내가 크면 훌륭한 인민군이 되겠다고 소리를 쳤답니다. 매일 밤만 되면 동생과 같이 어른들이 시키시는 대로 이불을 푹 뒤집어쓰고 아버지께서 구해주신 라디오를 틀고 남한방송 어린이시간 듣기를 좋아 했고. 남한 노래를 그렇게도 좋아했답니다. 누가 대문을 두드리면 얼른 라디오를 끄고 숨겼습니다. 　초등학교 일학년 종업식 때 전교생을 운동장에 모이게 하고 저하고 또 한 여학생과 이렇게 두 학생을 불러 교탁위에 올라오라 하시고 둘다 전교생을 향하여 의자에 앉혔습니다. 이날은 우리

둘이 김일성 상을 타는 날이었습니다. 너무나 좋고
황홀했습니다. 교장선생님은 우리 둘을 보고 최우등
생이라고 칭찬을 하셨습니다.

전염병

　2학년에 올라가기 전에 전염병인 발진티브스가 전국적으로 대 유행이 일어나서 형은 발진티브스에 걸려 의사이신 외삼촌께서 근무하시는 함흥도립병원에 입원했고 저는 뇌척수뇌막염이란 병에 걸렸으나 아직 항생제조차 구할 수 없는 때라 속수무책으로 동네 의원에서 치료하다 결국 모든 것을 포기하고 집에 데려와 아이를 위해 한방치료를 한다고 이마에 두 개, 가마가 있는 정수리에 한 개, 배에 두 개, 어린애에게 큰 쑥뜸을 놓아 지금도 그 흉터가 뚜렷하답니다. 온 가족이 모여 하나님께 기도드리는 방법밖에 없었답니다.

　어느 날 의식이 없는 아이를 하얀 요 위에 눕히고 하얀 이불을 덮히고 온 가족이 마지막 눈물의 기도를 드리고 있을 때 갑자기 이상한 음성이 들렸답니다. 대수롭지 않게 계속 기도 하는데 두 번째 또 소리가 들려 할아버지께서 어머니 보시고 누가 왔나 나가보라고 하셔　대문까지 나가보시니 아무도 보이지 않아 밖에 아무도 없다고 말씀드리고 계속 통성 기도를 눈물을 흘리며 하셨답니다. 얼마 지나서 또

굵직한 남성 목소리가 들려, 이번에는 모두 조용히 그 음성을 들으려고 귀 기울였더니 "닭 잡아라" 하시는 음성으로 들렸답니다.

할아버지께서 두말 않고 닭장으로 뛰어나가 닭을 잡아 가마솥에 물을 붓고 끓여 그 국물을 숟가락으로 떠 죽은 듯이 의식을 잃고 누워있는 아이의 입을 벌려 떠 넣었더니 잠시 후에 아이가 깨어나더랍니다. 온 가족이 너무나 기뻐서 할아버지께서 "기도 하자" 하시면 아이가 벌떡 일어나 엎드려 기도 드렸답니다.

치유의 은사

저의 형수는 2011년에 저와 같은 병에 걸려 7년 동안 병원생활을 하시다 2018년도에 돌아가셨습니다. 이렇게 의학이 발달한 현대에 형수는 주님 품으로 가셨으나. 하나님께서는 첫 번째로 저에게 치유의 은사를 주셔서 할아버지를 비롯하여 온 가족이 얼마나 기뻐했는지 모른답니다.

제가 앓고 있을 당시 어머니께서도 허리 척추 주위에 등창이 나서 매우 고생하셨고 의원에서 치료를 받고 있었으나 점점 더 심해질 뿐이었답니다. 할아버지께서는 항아리부항을 떠 피고름을 뽑아내시며 핀셋으로 죽은 조직을 뜯어내시곤 하셨는데도 아무런 효력이 없었답니다. 병에서 깨어나고 일주일 정도 되었을 때 누워 있었던 제가, 할아버지께서 어머니의 환부를 보시고 계시는 모습을 보고, 벌떡 일어나 할아버지께서 들고 계신 핀셋을 달라 하더니 어머니 등에서 죽은 조직을 마구 뜯어 집어내더랍니다. 그때 장면이 지금도 저의 눈에 선히 보이는 듯 하답니다. 그 후 점차 나아지시더니 얼마 안 되어 완전히 나으셨답니다.

하나님께서 어린 저의 손을 사용하시어 등창을 치료해 주셨습니다. 제가 중학생이 되었을 때 어머니 등을 보다가 등창 상처 부위를 보니 그 흉터가 척추 부위에 살짝 붙어 있었습니다. 이 글을 쓰면서 하나님 은혜를 비로소 감사드립니다.

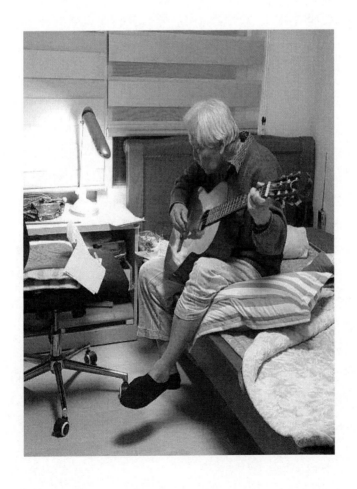

큰삼촌의 사망

　그러나 저는 기억이 많이 없어져 새 학기에 2학년
으로 진학하지 못하고 1학년에 다시 복학했지만 학
교 성적이 너무나 나빴습니다. 기억을 많이 잃은 게
지요. 1947년 봄에 막내 삼촌께서 탈북 하시고 이어
서 같은 해 가을에 아버지께서 탈북 하셨답니다. 그
후 골수 공산당원이 되신 운포광산에서 일하시던 큰
삼촌께서 집에 오셔서 할아버지와 사랑방에서 밤새
고성이 오가며 매우 다투시곤, 나와서 분을 못 이겨
도끼를 들고 과수원으로 올라가시면서 사과나무를
무참히 찍으셨습니다. [우리 온 식구는 민주주의 사
상이지만 큰삼촌만은 공산주의 사상이었음] 사상 때
문에 만나시기만 하면 다투시곤 하셨답니다. 그날 새
벽에 집을 떠나시며 우시며 할아버지 성함을 함부로
고래고래 소리쳐 부르시며 사라지셨습니다. 새벽 첫
번째 기차에 달려들어 머리를 박으시고 돌아가셨습
니다. 우연히 부엌문을 열었던 저는 산산이 찢어진
큰 삼춘의 사체 조각을 어머니와 큰 숙모께서 마주
앉아 잡고 깁고 계시던 모습이 지금도 눈에 선합니
다.

1차 탈북 시도

아버지와 막내삼촌께서 탈북 하셨기 때문에 너무나 감시가 심했습니다. 1948년 봄에 어머니, 형, 나, 남동생, 그리고 젖먹이 여동생, 이렇게 5명은 새벽부터 일어나 탈북 준비를 했습니다. 그믐밤 새벽에 가족들과 작별하고 큰 숙모만 따라오셨습니다. 제가 매일 학교 가던 길로 가다 폭이 1미터정도 되는 농수로를 건너 뛰어 넘어야했습니다. 동생까지 다 넘었는데 제가 뛰어 넘다 그만 미끄러져 물속에 풍덩 빠지고 말았습니다. 할 수 없이 저는 숙모님 따라 집에 가 옷을 갈아입고 왔습니다. 시간이 많이 지나 우리는 숙모와 작별하고 부지런히 영무 [이성계 장군이 기마병을 훈련시키시던 장소] 앞 바다 약속 장소에 도착해 키가 자그마한 소나무 밑에 숨어 약속된 배가 오길 기다렸습니다. 새벽 2시에 오기로 한 배가 해가 오를 때 까지도 나타나지 않았습니다. 우리는 초조하다 못해 두려웠습니다. 결국 집으로 돌아 왔습니다.

다음날 학교에 가니 담임 선생님께서 결석한 이유를 물으셔 감기 걸려 못 왔다고 하니 등교 시 매일 우리 집 앞을 지나며 저를 불러서 같이 다녔던 김남영 [나중에 간첩으로 부산의 우리 집에 찾아왔던 친구임]이 벌떡 일어나 "강훈[지금은 강 훈경임]이네 대문 앞에서 부르니 마당에서 놀고 있던 강훈이가 급하게 방으로 뛰어 들어가고 할머니께서 나오셔 '우리 훈이 아파서 오늘 학교에 못 간다고 하셨습니다.' 라고 말해, 감시받고 있는 처지라 꾀병으로 거짓말을 했다고 단단히 야단맞았습니다. 친구가 헛것을 본 게지요. 사실 그 시간에는 영무 앞 바닷가 숲속에서 배를 기다리고 있었으니까요. 보름쯤 지나서 배가 왔으나 만나지 못한 것은 제가 물에 빠져 지체했기 때문에 우리가 도착했을 때는 이미 배가 왔다 간 후여서 만나지 못했던 이유를 알게 되었는데 선박 탈북이 알려져 선장까지 전부 15명이 잡혀 즉결심판 받아 전부 사형 당했다고 듣고 저를 물에 빠뜨려 시간을 지연 시켜 주신 하나님께 온 식구가 감사 또 감사드렸답니다.

어머니의 탈북

1948년 가을에 이번엔 어머니께서 인원이 너무 많아서 위험하니 저와 동생을 빼고 형과 젖먹이인 여동생만 업고 여러 사람들이 돈으로 안내원을 구해 탈북 하시는데 다른 사람들은 숨어 다니는 입장에 애기가 울면 전부 잡힌다며 어머니를 노골적으로 싫어했답니다. 캄캄한 밤에 안내원을 따라 초소를 피해 수수밭을 엎드려 기다시피하며 뒤에서 따라가는데 갑자기 발이 미끄러 넘어지며 고무신이 벗겨졌는데 애기가 울까봐, 동료들을 따라가지 못할까, 조바심을 내며 겨우 신을 찾고 보니 동료들이 이미 어디로 갔는지 보이지 않아 아들과 같이 주저앉아 날이 새기를 숨을 죽이고 기다려 새벽이 밝아 와 두리번두리번 주위를 살피고 있는데 갑자기 웅성거리는 소리가 들려 동료들인가 하여 반가워 나가려는데 뭐가 좀 이상해 가만히 엿들으니 동료들 몽땅 경비원들에게 잡혀 있더랍니다. 사람들이 다 가기를 기다려 하나님께 감사기도 드리고 앞으로 갈 길도 인도 해주시라고 기도드리며 무사히 탈북에 성공하셨답니다.

2차 탈북 시도

1949년 봄에는 아홉 살인 저와 일곱 살인 동생은 할아버지를 따라, 저는 찰떡을 한 짐 지고 캄캄한 그믐밤에 집을 떠나 북청역을 지나 돌새역이라는 매우 작은 간이역에서 객차를 탔습니다. 우리 외에는 아무도 없어 마음이 놓였습니다. 그러나 타자마자 곧 공안원 두 명이 다가왔습니다. 저는 바짝 긴장이 되었습니다. 할아버지께 어디 가느냐고 물었습니다. 할아버지께선 74세지만 나이가 더 많게 보이시려고 하얀 머리카락에 길고 하얀 턱수염이여서 연세가 많게 보이셨습니다. 할아버지께선 원산에 있는 애들 외가에 간다고 말하셨습니다. 한 밤중에 간이역에서 기차를 타니 수상히 여겼던 것 같았습니다. 공안원은 저 보고 몇 마디 묻더니 저의 팔을 잡아끌며 객차 앞 쪽으로 가 달리는 차의 창문을 열더니 한사람은 양 손목을 잡고 또 한사람은 양 발목을 각각 잡고 바른 말을 하지 않으면 창밖으로 던진다며 어디를 가느냐고 큰소리치며 저를 들어 흔들며 창밖으로 던지는 흉내를 냈습니다. 그러자 저는 너무나 무서워 덜덜

떨며 소리치며 울면서 바지에 오줌까지 막 싸니 보
내줬습니다.

3차 탈북 시도

    그러나 원산에 와서 경찰서로 끌려가 할아버지와 저는 많은 취조를 받고 무사히 풀려 나오니 어떻게 아셨는지 고모님께서 저에게 새 옷을 갖다 주셔서 새 옷으로 갈아입고 이제부터는 걸어서 연천까지 가서 한탄강 근처에서 하루 묵고 새벽녘에 할아버지께서 도민증과 갖고 계신 모든 돈을 맡기시고 애들을 부모에게 맡기고 돌아올 때 찾아 가겠다고 약속 하시고 아직 어두운데 안내원을 따라 한탄강가로 가 숲에 숨었습니다. 서치라이트 불빛이 강가를 비추며 지나가곤 했습니다. 안내원이 작전을 설명했습니다. 서치라이트 불빛이 지나가면 저부터 물가 숲으로 뛰어가 엎드리면 다음은 동생, 할아버지 순으로 뛰어가고 거기서 또 다음 숲으로, 결국 우리는 완전히 목적한 물가에 도착하고 이번에는 할아버지께서 제일 앞에, 동생, 마지막에 저, 손을 맞잡고 물에 한 발짝씩 조심스레 들어가니 며칠 전에 비가 많이 와서 물이 예상보다 깊었고 사람이 다니지 않는 곳이라 이끼가 많아 매우 미끄러웠습니다. 할아버지부터 물속에 들어가시다가 중간에 있던 동생이 미끄러져 넘어지니

결국 전부 넘어지고 말았습니다. 물을 먹으며 허우적
거리다보니 이미 서치라이트가 저희를 비춰고 있었
습니다. 곧 확성기소리가 들려왔습니다. 꼼짝 말고
손들고 그 자리에 서 있으라는 것이었습니다.

공산치하 감옥에서

　손을 들고 있으면서 할아버지께서 주의를 주셨습니다. '우리는 남조선에 사는데 부모님을 찾아 남조선에서 넘어왔다' 고 말해야 살수 있다고 말하셔저는 할아버지께서 시키신 대로 인민군들에게 떨며 말했습니다. 이번에도 저 한테만 물었습니다. 살던 집 주소는 우리가 가고자하는 아버지 주소를 말하고 우리가 갈 곳의 주소는 북한의 살던 집 주소를 대었습니다. 우리는 조사받고 철창으로 된 시멘트바닥의 교도소에 수감되었습니다. 몇 명이 없었으나 점점 많은 사람들이 잡혀 들어왔습니다. 일주일이 되니 사람이 너무 많아 옆으로 빽빽이 찬 시멘트바닥에 누워자야만 했습니다. '남한이 얼마나 좋기에 이렇게 목숨을 걸고 가야 하나' 이념이라곤 조금도 없는 저로서는 너무나 의아해 했습니다. 유치장에 꽉 차 더 들어 갈 곳이 없으니 새벽녘에 모두 깨워 이름을 불러 줄을 세우고 군관이 앉은 책상 앞을 지나며 재판을 받기 시작했습니다. 우리차례가 되었습니다. '여기서 부모님도 못보고 죽는구나' 생각하니 너무나 무섭고 떨렸습니다. 이름을 확인하고 얼굴이 흙빛이 되어 떨고있는 저에게 "어디서 왔으며 어디로 가느냐" 고 물었습니다. 저는 전과 같이 서울 주소와 북한집 주소를 서슴없이 줄줄 말하고 고개를 푹 떨구고 처분만 기다리고 있었습니다.

탈북 성공

　잠시 후 재판장인 교관이 말했습니다. "영감은 너무 늙었고 애들은 너무 어리니 아무 쓸 데도 없겠구면. 남조선에 도로 가서 식량이나 축내면서 살게 도로 보내주지." 하며 우리 셋을 따로 세우는 것이었습니다. 무슨 뜻인지 알지 못하고 덜덜 떨고만 있었습니다. 다른 사람들은 재판이 끝나는 대로 다른 데로 끌고 갔습니다. 재판이 다 끝나고 나니 해가 뜨기 시작했습니다. 총을 멘 두 군인이 와서 우리를 데리고 강가로 가 모래위에 있던 자그마한 배를 밀어 물에 띄우고 우리를 태우고 노를 저어 가고 큰 개 한 마리는 뒤에서 헤엄치며 따라왔습니다. 배가 길도 없는 강기슭에 닿자 우리를 내려놓고는 남조선으로 도로 가라고 하며 돌아갔습니다. 우리는 뒤에서 총을 쏠까봐 비탈이 매우 심한 길도 없는 절벽과 같은 언덕을 풀과 나무들을 붙잡고 정신없이 기어 올라갔습니다. 38선인 듯한 녹슬고 낡은 철망을 들추고 기어 넘으니 할아버지께서 "38선을 넘었으니 여기부터는 남조선이야 이젠 살았다." 하시며 기뻐하셨습니다. 한참 만에 능선에 올라 강을 내려다보며 얼마나 좋아 했는지 모릅니다. 저는 아직 어려서 감사할 줄 모르지만 할아버지께서는 하나님께 한없는 감사기도를 하셨을 겁니다. 남한 초소에 왔을 때는 우리를 매우 반겨줄 줄 알았는데 탈출경로를 인정해 주질 않고 도리어 더 심하게 간첩 같이 대했습니다. 북조선보다 더 나쁜 나라 같았습니다.

2부

부산에서 보낸

청소년기

아버지와 만남

　동두천역에서 기차를 타고 왕십리역에 내려 여관에 들어간 뒤 저녁을 먹고 우리 둘은 정신없이 잤습니다. 아침에 일어나니 할아버지께서 뵈지 않아 우리는 걱정하며 두리 번 거릴 때 아주머니께서 하얀 쌀밥을 한 상 차려 들고 들어오시며 할아버지께서 너의 부모님을 찾아가셨으니 곧 돌아오실 테니 그동안 밥이나 맛있게 먹어라. 하셔서 안심된 마음으로 밥을 먹고 있는데 갑자기 방문이 드르르 열리더니 북한에 계셔야할 고종사촌형이 "훈아", 부르시며 들어오시고 아버지께서 이어 "훈아, 민경아" 부르시며 들어오셨습니다. 어찌나 반갑고 놀랬는지 숟가락에 밥을 뜬 채 줄줄 흘리며 천천히 일어나 멍하니 쳐다만 보고 있으려니 오셔서 "오느라 수고했다" 하시며 우리를 꼭 껴안아 주셨습니다. 그때 감정이 기뻤는지 그저 멍하기만 했는지 모르겠습니다.

전쟁 후 피난

　서울에 와서 일주일 만에 김구선생님께서 돌아가
시고 다음 해에 6,25 사변이 나서 우리가 북한에서
왔다는 것을 알고 아버지께서 많은 괴로움을 당했습
니다. 월남하고 주민 등록할 때 저희들의 나이를 한
살 씩 줄이고 아버지는 3살을 높여 신고 했기 때문
에 인민군들이 강제로 군에 끌고 가지 않았습니다.
우리 세 식구가 갑자기 늘어서 생활이 어려운데다가
전쟁까지 났으니 호구지책이 너무나 어려웠습니다.
1·4 후퇴 때 겨우 부산행 기차로 알고 화물차 지붕
에 새까맣게 모두 큰 짐들을 이고 메고 올라타고 보
니 나중에 알았는데 경부선이 아니라 중앙선 석탄을
때는 화물차였습니다. 중앙선은 굴이 너무나 많았습
니다. 굴에 들어가면 기차굴뚝에서 나오는 새까만 연
기가 기차 지붕에 있는 우리에게 얼마나 뜨겁고 매
운지, 모두가 이불을 뒤집어쓰고 입으로 물고 손으로
틀어막고 짧은 시간이면 잠시 숨을 참을 수가 있겠
으나 죽을 것만 같았습니다. 이번에는 진짜 긴 굴이
였습니다. 그뿐 아니라 오르막길이라 너무나 무거워
겨우 겨우 기어가다시피 하다간 그만 텅텅텅텅 하며

헛바퀴 돌며 도리어 뒤로 뒤로 물러나는 것이었습니다. 뿐만 아니라 뜨거운 연기가 계속 싸이니 숨이 막힐 뿐 아니라 뜨거운 탄산가스, 일산화탄소가스가 너무나 독해서 금방 숨이 막혀 죽을 것만 같았습니다. 텅텅텅텅 하며 후진하다 겨우 기적적으로 터널을 빠져 나왔으나 많은 어린아이들이 숨졌고 저의 형도 참지 못해 벌떡 일어나 뛰어가려는 것을 아버지께서 재빨리 잡으셔서 천만 다행 이였습니다.

헤어져 다시 만난 부부

    동래역에 기차가 며칠 서있는데 객차가 잠간 정차 했을 때 아버지께서 어머니와 저와 동생을 띠를 잡고 먼저 내려 객차에 올리고 아버지와 형이 쌀자루 이불 등을 내리려 화물차에 가는데 꽥 하며 객차가 움직이기 시작 했습니다. 부산역에서 만나자 하시는 아버지의 외치는 소리를 들으며 기차는 벌써 달리고 있었습니다. 형은 화물차 꼭대기에서 짐을 지키며 아버지 오시길 기다리고 있었지요. 우리 셋은 짐이라곤 큰 솥에 담긴 냄비와 양재기 몇 개와 수저 담요 한 장 뿐이었습니다. 우리가 탄 객차는 부산역 한 정거장 전인 초량역이 종착 역이였습니다. 우리는 여기가 마지막 역이니 아버지께서 타신 화물차도 여기까지 올 걸로 알고 역전에서 우리 둘은 이 추운 1월에 담요 한 장을 둘이 뒤집어쓰고 어머니는 주무시지도 못하고 오는 차 마다 기웃거리며 아버지를 찾았습니다. 꼬박 3일을 굶었으나 배고픈 것도 모르고 마냥 기다리기만 했습니다. 3일째 밤에 어머니께서 한 보따리를 들고 오셨는데 나무도시락 이였습니다. 객차 손님이 내리면서 인제 집에 다 왔으니 필요 없다며 기웃거리는 어머니께 주시더랍니다. 3일 만에 먹는 밥이라 우리는 정신없이 맛있는 밥을 먹고 힘을 내 한 정거장만 더 가면 부산역이라는 사실을 비로소 알고 밤이지만 힘내 철길 따라 계속 걸었습니다. 날이 밝으며 부산역에 도착하자 어머니는 저희들을 한 곳에 두시곤 필사적으로 쉬지도 않고 바로 움막마다 묻고 다녀, 결국 아버지를 찾았습니다. 아버지도 기차가 들어오기만 하면 뛰어나가 찾곤 하셨답니다. 아버지 어머니께선 감사기도 얼마나 간절히 하셨을까요.

물에서 건짐

부산으로 피난 와서 영도 봉래동에 있는 조선소의
헌 창고에 가마니 깔고 칸막이하여 같은 이북 고향
에서 온 많은 세대가 같이 살았습니다. 국민학교 4학
년 때 인가, 부두에 수입해 온 긴 원목이 많이 떠 있
었는데 또래들이 뗏목 위로 뛰어 다니며 놀다 끝까
지 가서 놀다 뗏목이 갑자기 빙글 도는 바람에 그만
물에 빠지고 말았습니다. 바닷가에 살면서 아직 수영
을 배우지 못했을 때인데 정신없이 허우적거리고 있
는데 갑자기 무언가 손에 잡혀 정신 차리고 보니
난파선의 뾰족한 앞머리 부분이 살짝 물 위로 나와
있었습니다. 평소에는 보이지도 않았는데 저의 목숨
을 살려 주었습니다. 부두까지 꽤 먼데 개헤엄 치듯
혼자서 퍼덕거리며 혼자의 힘으로 뭍으로 나왔습니
다. 이번에도 하나님께서 살려 주셨습니다. 친구들은
제가 물에 빠진 것을 아무도 몰랐습니다. 그 후부터
물을 무서워 하지 않고 개헤엄이나마 치며 물과 친
해졌습니다.

신설된 중학교에 합격

모태신앙이지만 믿음이 있어서가 아니라 교회에 가는 것이 즐겁고 좋았습니다. 초등학생이지만 매일 동생을 깨워 새벽기도예배에 다녔고 교회연합 어린이찬양대회가 있으면 음악이든 웅변이든 빠짐없이 저를 보냈습니다만 웅변만 단 한번 3등을 해 봤을 뿐 등수에 들지못해도 대회에 교회의 이름으로 보내주시면 감사하게 생각하고 중1까지 교회연합에서 주최하는 주일학교 찬양 경연대회에 선생님이 시키시면 열심히 나가곤 했습니다. 그러나 한 번도 입상한 일이 없어도 노래 부르는 것이 너무나 좋았습니다. 덕택에 초등학교 5학년 때부터 악보를 볼 줄 알아 악보만 주시면 그런대로 노래를 부르곤 했습니다.

초등학교 때 학교 공부는 80점대에 들었으나 90점 이상의 점수로 우등을 한 번도 못해봤습니다. 이젠 중학교를 정해야하는데 저의 실력으로는 부산중학교나 경남중학교는 생각도 해보질 못할 처지여서 고민하다가 남중에 시험을 치기로 마음먹고 있는데 하루는 담임 선생님께서 부르셔 교무실로 갔는데 초등학교 교사가 사범고등학교를 졸업하면 되던 것을 이제부터는 사범대학을 졸업해야 되게 법이 변경되어 부산사범대부속중학교가 작년에 새로 신설했는데 남녀공학으로 신입생을 특차로 모집한다고 하셔 특차모집에 지원할 수 있게 됐다고 하시며 우등 한번 못한 저에게 추천해 주셔서 생각지도 않던 학교에 시험을 치게 되었습니다.

담임선생은 비록 학교성적은 못하나 초등학교 선생으론 훌륭한 성격이라시며 추천해 주셔서 떨어질 것이 당연하나 담임선생께서 추천하시니 아버지께서도 허락해 주셔서 시험을 치렀습니다. 발표날 떨어질 것이 너무나 당연할 것 같아 아예 가지도 않으려고 했는데 아버지께서 이날은 평생 처음으로 저를 데리시고 시험성적 발표장에 가셔서 게시판 앞에 수많은 사람들과 같이 성적순대로 라고해서 저와 아버지는 제일 밑에서부터 올라가며 찾는데 있을 리가 있나 하고 포기하고 가려는데 놀랍게도 제일 앞그룹에 11등으로 444점이라고 점수까지 적혀 있었습니다. 너무나 놀라 믿어지질 않았습니다. 아버지께서 너무나 좋아 하시며 국화빵을 마음껏 먹게 사주셨습니다.

영도 초등학교 전체에서 제가 가장 성적이 좋아서 학교성적으로는 평균이 90점 이상이어야 우등이라 하지만 전교에서 가장 좋은 성적으로 합격 했으므로 부득불 인정받아 졸업 시 처음으로 우등상을 받았습니다.

학교에서

중학교가 사범대부속중학교라 예능교육을 매우 중요시 가르쳤습니다. 그 덕에 1학년부터 코리분겐을 위시하여 음악공부를 잘 가르쳐 주셔서 목소리는 별로지만 교회에서 평생 성가대에 봉사할 수 있었습니다. 크리스마스가 되면 해마다 주일학교에서 주는 상은 늘 일등으로 노트와 연필은 한번도 사본 일이 없었습니다.

중2때 부산시 중구 대청동으로 이사하고 교회도 옮겼습니다. 고등학교는 경남공고 응용화학과였는데 화학과 수학을 너무나 좋아했습니다. 고등학교는 일학년 시작부터 반장으로 뽑혔고 체육선생이 없어 매 월요일 아침 조회 시 국민보건체조를 할 때 제가 교탁에 올라 음악에 맞춰 1000여명 앞에서 '하나, 둘' 하며 힘차게 체조를, 2학년 때 체육선생이 올 때까지 했습니다.

버스에서 생긴 일

공고라 깡패들이 많았을 때입니다. 2학년 때 버스를 타고 앉아 집에 가고 있는데 부산공고 학생들이 우르르 7, 8명이 타고 경남여고역에서 여고생 2명이 타고 뒷문쪽 손잡이를 잡고 서서가고 있는데 부산공고 학생 한 명이 여고생의 뒤에 가더니 갑자기 치마를 잡아 확 내리고 또 한 학생도 치마를 잡아내리니 여학생들은 소리 지르며 얼굴을 감싸고 주저앉아 울고 있었고 부산공고 학생들은 낄낄대며 웃고 있었습니다.

버스엔 어른들이 많이 있었으나 아무도 말 한 마디 못하고 보고만 있었습니다. 갑자기 저도 모르게 "학생이 이게 무슨 짓이야" 소리 질렀습니다. 낄낄대던 소리가 뚝 그치더니 사고 친 학생이 앉아있는 저의 앞에 와 눈을 부라리며 온몸의 근육을 곤두세우며 힘을 과시했습니다. 그러나 저는 혼자이지만 태연하게 앉아 빤히 쳐다보고 있었습니다. 하나도 무섭게 느껴지지 않았습니다. 아무렇지 않은 듯이 부산역에서 하차 했습니다. 저는 따라와 갑자기 공격할지도 모르니 정신을 바짝 차리고, 그러나 한 번도 뒤돌아 보지 않고 태연히 걸어 집에 왔습니다.

사과의 악수

　며칠이 지나서 버스에서 내려 걸어 언덕에 있는
계단을 올라 골목길로 들어 삼거리 갈림길에 들어서
자 부산공고 학생과 스무살 전후의 긴 머리의 청년
이 같이 저를 기다리고 있었습니다. 길을 막고 서기
에 저는 가방을 안은 채 "왜 그러냐"고 침착하게
물었습니다. 하교 시간이라 남성여중고생들이 내려오
다 저희들을 보고 무슨 일인가 하고 모여들기 시작
하며 삼거리 골목길에 빙 둘러서기 시작하더니 계속
많아졌습니다. 저는 하나도 무섭지 않았고 여학생들
이 많으니 더 좋았습니다. 져도 2:1 이니 부끄럽지
않을 것 같았습니다. 저는 용기를 내어 가방을 여학
생들 쪽에 던져놓고 적을 양쪽에 두고 가운데서 싸
울 자세를 취했습니다.
　바로 그때 여학생들을 막 헤치고 들어오는 한 학
생이 있었습니다. 우리학교 1학년 학생이었습니다.
저의 앞에 오더니 "형, 여기 가만히 있어. 내가 둘
다 상대 할 테니." 가방을 저의 가방 옆에 던져 놓고
저를 한쪽으로 미는 것이었습니다. 상대 두 친구는
얼떨떨해 하더니 부산공고 학생이 저한테 손을 내밀

며 사과의 악수를 청하는 것이었습니다. 저도 못 이
기는 체 하며 악수를 받아주니 둘러섰던 여학생들이
와– 하며 일제히 소리 지르며 박수를 쳤습니다.

부산공고생과 싸움

그리고 2주정도 지나서 저는 도서관에 들렀다가 한반 친구인 태성이와 같이 어둑한 골목길을 이야기하며 걷고 있는데 갑자기 웬 놈들이 달려들어 저를 공격하는데 그중 한 놈이 돌멩이로 저의 머리를 내려찍었습니다. 저는 특별한 운동은 한 일은 없지만 매우 민첩한 체질이라 나도 모르게 왼손을 올려 막고 다른 놈들은 상관 않고 돌로 찍은 그놈만 맹공격을 했습니다. 정신없이 싸우다보니 어느새 다 도망가고 없었습니다. 전에 아버지께서 여러 명과 싸울 때는 우선 벽을 찾아 등을 지고 싸우면 아무리 적이 많아도 3명밖에 상대가 없고 그 중에서 첫 번에 덤비는 그놈 하고만 싸우고 다른 놈들은 때리든 말든 상대하지 말라고 하시던 말씀이 생각이나 그 한 놈만 상대하여 미친 듯이 싸웠습니다. 다 도망가고 보니 태성이는 가만히 구경만 했답니다. 몇 명이였냐고 물으니 4명이었다고 했습니다. 저는 넘어지지도 않았고 맞으면서 아팠던 기억도 나질 않았습니다. 다만 왼 손등에 돌에 찍힌 자리와 두 주먹 전체가 다 까졌고 피투성이였습니다. 어떻게 싸웠는지 아무생각도 나질 않았습니다. 태성이는 놀래서 멍하니 구경만 했답니다. 약국에 들려 치료했습니다. 하나님께서 저를 도우셨기 때문이라고 생각하고 하나님께 감사를 드렸습니다. 그 후 부산공고 학생은 다시는 찾아오질 않았습니다.

사라호 태풍

  고1때 1959년 9월 15일 추석날에 사라호 태풍이 부산을 바로 덮쳐 피해인명이 849명이고 피해금액은 1,900억 원, 4급 태풍으로 많은 피해를 주었습니다. 우리 집은 중구 대청동에 용두산 화재 때 이재민을 위한 2층짜리 4세대가 한 동으로 4, 50여동의 기와 연립주택으로 산을 깎아 6계단의 공동주택이라 화장실도 공동변소라 별도로 한 쪽에 있어 매우 불편했습니다. 태풍이 오니 기왓장은 종잇장같이 날아다녀 공동변소 가기가 너무나 무섭고 겁이 났습니다 태풍이 지나고 언덕에 올라 내려다보니 주택의 기왓장이 전체가 다 날아갔는데 우리 동의 4세대 중 3번째에 있는 우리 집만 한 장의 기왓장도 날아가지 않았습니다. 우리 식구들은 언덕에 올라와보고 전부 놀랐습니다. 제가 산 쪽으로 올라 기와를 들어보니 서로 흙으로 붙어 있는 것이 아니라 그냥 그대로 들렸습니다. "아버지, 그냥 들려요" 우리 식구들은 모두 놀랐고 하나님의 기적 같은 도우심에 너무나 감사했습니다. 나중에 전체가 보수된 후에 우리 집만 멀쩡하다고 생각해서인지 기와를 다 걷어내고 다른 집처

럼 새 기와를 입혀 줄줄 알았는데 비 오는 날이 되고서야 우리 집만 비가 샌다는 사실을 알게 되었습니다. 보수하는 사람들이 우리 집은 멀쩡하다고 보고 아예 수리를 하지 않았던 것입니다. 동생이 먼저 알고 코르타르를 구해 녹여서 지붕의 새는 곳을 찾아 발랐습니다. 햇볕이 쨍 나는 여름날 처마 밑으로 코르타르가 녹아서 줄줄 흘렀습니다. 결국 아버지께서 방수 시멘트를 구입해 지붕 전체를 발랐습니다. 다른 집 지붕은 기왓장이 예쁘게 보이는데 우리 집 지붕은 시멘트로 완전히 싸 보기 흉했습니다. 동네 사람들은 아무도 이유를 몰랐습니다.

허ㅇㅇ과 싸움

고2 후반에는 반 깡패 때문에 반장을 사표를 냈습니다. 제가 반장 사표 후 깡패 두목인 허ㅇㅇ이 전교에 판을 치고 다녔으나 선생님들은 아무도 막을 수 없었습니다.

고3때 제가 반장을 사표낸 후라 깡패들을 견제할 사람이 없었습니다. 마산에서 한 학생이 전학을 왔는데 깡패 두목인 허ㅇㅇ이 필요 없이 시도 때도 없이 가다오다 툭툭 치며 괴롭혔습니다. 그때마다 제가 그러지 말라고 타이르곤 했지만 보란 듯이 더 때리고 괴롭혔습니다. 선생도 반 친구들도 ㅇㅇ이가 무서워 말 한마디 못하고 있었는데 하루는 이 일로 ㅇㅇ이와 제가 매우 다투었을 때 반 학생들이 전부 있는데서 너무나 화가 나서 나도 모르게 갑자기 선전포고를 하고 말았습니다. "수업이 다 끝나면 뒷마당으로 나와" 라고 소리를 질렀습니다. 그리고 태연히 제자리에 가 앉았습니다.

수업시간 내내 내가 왜 이랬지 하며 운동이라곤 철봉 밖에 해 본 일 없는 내가 체격이 나보다 클뿐 아니라 레슬링까지 하는 ㅇㅇ이를 어떻게 이기려고 일을 저질렀지 하며 걱정이 되어 도무지 공부가 되지 않았습니다. 수업이 끝나자 가방을 챙겨 책상위에 올려놓고 조용히 뒷마당으로 나갔습니다. 반 친구들은 말없이 따라 나왔습니다. 어떻게 알고 왔는지 전교 3학년 학생은 다 모인 듯 했습니다. 말없이 윗옷을 벗고 싸움자세를 잡았습니다. 갑자기 ㅇㅇㅇ이가 달려들어 저를 번쩍 들어 던지기에 나가떨어지지 않으려고 목을 감아 조였습니다. 저는 깔려 힘을 쓸 수가 없었습니다. 저는 직감으로 저보다 키도 크고 레슬링도 배웠으니 이길 수 없다고 생각하고 "나, 졌어" 하고 일어나 "분이 안 풀리면 마음껏 때려 " 하며 어금니를 악물고 똑바로 섰습니다. 그러자 양쪽 주먹이 연이어 계속 들어 왔습니다. 저는 차렷 자세 그대로 서 맞아도 쓰러지지 않고 머리만 돌아갔다가 다시 제자리로 돌아오곤 했습니다. "내가 졌으니 이젠 그만 때려" 더 화가 났는지 계속 때렸습니다. 8, 9대쯤 때리더니 멈췄습니다. "내가 졌어" 하고 아픈 기색도 없이 옷을 받아들고 교실로 돌아 왔습니다. 아무도 저에게 말을 거는 사람이 없었습니다.

다음날이었습니다. 한 친구가 저에게 와 "훈경이가 싸우지 않았으니 토요일 방과 후에 운동장에서 내가 대신 싸워주겠다"고 허ㅇㅇ이 한테 정운경이가 싸움신청을 했다고 알려 주었습니다. 운경이는 1, 2학년 때 늘 같은 반으로 시험 때가 되면 방과 후 도서관에서 제가 공부를 도와주곤 했던 친구였습니다. 태권도 유단자였습니다. 그날이 되었으나 저는 결과가 나쁠까 봐 운동장에 나가 보지도 않았습니다. 대운동장에는 전교생들이 모였고 선생님들까지 언덕 위에서 구경하셨답니다.

전해주던 친구의 말에 의하면 싸움이 시작되자 허ㅇㅇ이가 잡아 메어치려 할 때 정운경이가 찰나에 주먹으로 한 대 때렸는데 허ㅇㅇ이가 그 한 대에 바로 맞아 그 자리에 쓰러져 싸움은 쉽게 끝나게 되었답니다. 이후 허ㅇㅇ이는 깡패 짓을 그만두게 되어 이 소식이 부산경찰서장에게까지 들렸고 제가 고등학교 졸업 때 제일제당 이병철사장님 [지금은 삼성그룹의 이건희 회장의 부친이요 이재용회장의 할아버지이심] 께서 저에게 모범상장과 탁상시계를 상품으로 보내셨습니다. 졸업 후 제일제당에 언제든지 오면 받아 주시겠다고 하셨답니다.

재수생이 되고

고2때부터 미국 고등학생인 두 여학생과 펜팔을 하고 있었는데 한번은 우리 집 주소를 번지 없이 동까지만 썼는데도 편지가 들어왔습니다. 아마도 이때도 부산에 저의 이름이 많이 알려져 있었는가 봅니다.

고3때 교회에서 중고등부학생회 회장이어서 리드 위해 게임도 해야 하기에 그 바쁜 고3때이면서 방학 때 교회연합회에서 교사들을 위해 오락 교육을 했을 때, 두 군데나 수료해서 나중에 사회생활 하는데 참 많이 활용했습니다.

첫 번 대학입학시험은 서울대 화공과에 지원했으나 낙방하고 재수했습니다. 가난한 집이라 학원에 갈 수 없어 새벽부터 [늦으면 자리가 없어 입장이 안 되었음] 부지런히 도서관에 가 독학을 했습니다. 금년에는 처음으로 대학입시가 생겨 제1회 대학입시시험을 치렀습니다. 저 자신도 깜짝 놀랍게도 전국에서 11등이었습니다. 공고에서 이렇게 좋은 성적이 나올 수 없다며 모교에서 교장선생님 비롯하여 전체 선생님들이 대단히 좋아 하셨습니다.

3부

서울에서 보낸
청년기

건국대 입학 후

어느 날 우리교회에 오신 초빙 목사님께서 우리나라 산업을 부흥 하려면 덴마크를 예로 들어 말씀하시며 축산업이 가장 알맞을 것이라며 전원 장학금으로 할 뿐만 아니라, 23만 평이나 되는 학교부지에 농장 축산장 까지 다 갖춰 있고 덴마크에 실습 유학까지 갈수 있는 건국대학교 축산대학을 권장하고 전학생이 장학생이라는 말에 가난한 저의 집 형편에 딱이라고 생각이 되어 서울수원농대 보다는 건국대학교 축산대학 축산가공학과에 입학하게 되었습니다. 그런데 제가 알고 있던 사실과는 달리 학칙이 바뀌어 일 학기에는 전원 등록금을 내고 이 학기 시험을 봐 28명 중 절반인 14명만 4년간 등록금을 면제해 준다는 것이었습니다. 학기 말 시험이 끝난 후 주임 교수님이 찾으신다하기에 교수님께 갔습니다. 한 학생이 교수님 앞에 서 있었습니다. 교수님께서 둘을 앞에 세워 놓고 "너희 두 학생이 기말고사 성적이 같아 의논 하려고 불렀다. 두 사람 중 한 사람만 장학생이 될 수 있다" 고 하시며 의견을 물으시는 것이었습니다. 다른 학생은 이미 내용을 알고 걱정스레서 있었습니다. 그 친구의 걱정스런 얼굴을 보자 너무나 불상한 농촌출신으로 보였습니다. 순간 저도 모르게 "교수님 걱정 마십시오. 제가 장학생을 포기하겠습니다." 이말 한마디 하고 뒤도 돌아보지도 않고 나왔습니다. 그리고 내가 무슨 짓을 한 거지? 하며 그때부터 걱정을 시작 했습니다. 부모님께 뭐라고 말씀 드리지? 내가 미쳤지. 장학금 때문에 이 학교에 왔는데, 아마도 이때 성령님께서 시키셨구나 하면서도 후회 했습니다. 지금까지도 우리 가족에게 이 사실을 한 마디도 말하지 못했습니다. 아직도 우리 가족은 아무도 이 사실을 모르고 있답니다. 제가 지금까지도 늘 가책을 느끼며 살아 왔습니다. 특히 어머니께 가장 죄송하게 생각하고 있습니다. 1학년을 마치고 휴학하고 말았습니다. 정말 저는 불효자입니다. 부모님께서 얼마나 힘들게 2학기까지 등록금을 만들어 주셨는데 평생에 부모님과 형제자매들에게 죄스럽게 생각하며 살았습니다. 아울러 다음해 2학년에 다시 복학했습니다만 우리 가족에 대한 평생 죄송한 마음 잊지 못하고 살았습니다. 지금까지도 우리 식구 아무도 모른답니다.

김남영과 만남

　고교 졸업하고 재수하고 있을 때 고3인 남동생과 같이 있는데 한 청년이 저를 찾아 와서 자기가 북한에서 보주국민학교 1학년 때 같은 반에 있었던 김남영이라고 말하며 어릴 때 이야기를 자세히 했습니다. 분명히 북한에서 보주국민학교 다닐 때 가장 친했습니다. 하여튼 매일 아침마다 학교 갈 때면 우리 집 앞을 지나야 하니 그때마다 저의 집 대문 앞에서 불러 늘 저와 같이 학교에 가곤 했던 동창생 김남영이라는 것이었습니다. 저와 같이 놀던 추억과 우리 집에 대해 너무나 자세히 알아 친구 김남영임을 확인했습니다. 그런데 네가 어떻게 우리 집을 알게 되었는지 어떻게 언제 남한에 나왔으며 어디에 사는지 자세히 물었으나 믿을만한 대답은 없어 수상히 생각하며 간첩이 틀림없다고 생각되어 동생한테 이층 첫 계단에 앉아 엿듣다가 수상하다고 생각되면 바로 파출소로 뛰어가 신고하라고 미리 짜고 있었으나, 또 만나자며 다시 놀러 오기로 약속하고 만나서 정말 반가웠다며 헤어졌습니다. 그 후 다시는 찾아오지 않았습니다.

간첩들의 소행

대학 1학년 여름방학 때 부산에 있는 집에 와 있을 때 저녁 무렵 부모님이 집에 계실 때 양복 입은 건장한 남자 4명이 고급자가용 차를 타고 우리 집을 방문했습니다. 부모님과 얘기 하시더니 아버지께서 2층에 있던 저를 소리쳐 부르셔서 내려가 방 한가득 앉아있는 남자 분들 앞에 인사하고 구석에 쪼그리고 앉았습니다. 이분들이 저의 집에 찾아온 이유는 저를 만나기 위해서였다고 말씀 하셨습니다. 자기들은 보르네오에서 원목을 수입하는 자산이 약 30억 정도 되는 원목수입업체인데 사장님이 병이 나서 운영이 어렵게 되고 자식이 없어 합당한 후계자를 찾고 있는 중 이집 자제분이 모범생으로 부산에서 널리 알려져 있고 특히 공고 졸업증이 있어 자격 있다고 판단하여 [저의 고모님께서 목재소를 하시는데 공고졸업장이 필요 하시다고 하셔서 이미 드렸으므로 없지만] 아마도 이 회사에서도 이 졸업장이 필요했던 모양입니다. 이집 아들을 초빙코자 방문했습니다. 현재 사장님은 6개월 정도 밖에 사실 수 없다고 하시며 사장님 가족은 사모님 밖에 없다고 하며 만일 회사를 맡게 되면 사모님을 평생 모셔야 한다는 조건을 말했습니다. "제가 만일 회사를 맡게되면 사장님의 양자로 가야하고 저의 성도 바꿔야 합니까?" 하고 물으니 성은 안 바꿔도 된다고 했습니다.

그래서 저는 "1주일만 부모님과 의논하고 생각할 여유를 주십시오" 하니 "1주일 후에 다시 오겠습니다." 하고 가셨습니다. 아버지께서는 "이 일은 너의 평생에 관한 일이니 네 스스로 결정하라"고 하시면서 전적으로 저한테 맡기셨습니다. 저는 교회에 가서 기도도 하고 모교인 고등학교 담임 선생님을 찾아가 문의도 했습니다. 선생님께서는 이렇게 좋은 기회는 없다 하시며 기회를 붙들라고 하셨습니다.

저는 생각 했습니다. 내가 무엇이 잘 났다고 이런 행운이 올까? 아마도 1년 전에 김남영이가 왔다 갔을 때 다시는 연락이 없었지만 수상히 생각했으면서도 신고하지 않았으니 아마도 안심하고 고정간첩을 만들려고 우리 집이 매우 어려운 형편임을 알고 접선한 걸로 생각하고 이러한 생각을 부모님께 말씀 드렸습니다. 1주일후 그분들이 와서 거절의 말을 했을 때 매우 서운해 하며 가셨습니다. 간첩들의 소행이 분명했습니다. 이때도 하나님께서 저에게 지혜를 주셔 바르게 판단하게 해 주셔서 감사했습니다.

군 입대

  1년 휴학후 복학을 했습니다. 3학년 2학기 마칠 무렵에 갑자기 기억상실증에 걸려 휴학하고 부산에 내려와 부산대학병원에서 정신신경울적증이라며 치료를 받고 있었습니다. 몸이 너무나 쇠약하여 제대로 걷지도 못했습니다. 방문치료 받는 중 휴학을 했으므로 어느 날 갑자기 육군 입영영장이 나와서 아직 걷지도 못하는 상태라 혼자서 고심을 한 끝에 병이 호전해가는 상태도 아니고 집도 매우 어려운데 어차피 누워서 허송세월을 보내기보다 차라리 군에 입대하여 국방의 의무라도 마치리라고 생각하고 부모님께 잘 말씀드리고 입대하기로 결심했습니다. 제대로 걷지도 못하니 형의 약국에 가 있으면서 매일 자전거를 탔습니다. 입대 할 각오 하고 운동하니 많이 회복되었습니다. 창원육군훈련소에 입소했습니다. 휴학하는 중 검진에서 폐결핵까지 확인되어 보건소에서 약을 받아먹는 터라 군인신체검사에서 불합격 될까봐 엑스레이 촬영 시 숨을 들이 마시라고 할 때 반대로 내뱉고 촬영을 했습니다. 군의관이 너무나 약해 군복무가 어려울 것 같다고 말할 때 남들은 군에 안 갈려고 하는 때 저는 도리어 군복무하게 도와달라고 사정하여 하나님의 도우심으로 합격시켜 주었습니다. 훈련이 너무나 힘들어 제대로 해 내지 못해 저는 아예 처음부터 고문관으로 취급 받았으나 아무 대꾸도 하지 않았습니다. 무사히 훈련을 마치고 다행히 위생병 병과를 받아 대구 군의학교로 이송되었습니다.

훈련병의 폭력

저는 군의학교에 와서 가장 걱정되는 것이 저의
폐결핵 병이 동료들에게 전염 될까봐 가장 걱정이
되었습니다. 마침 휴식시간이 긴 기회가 생겨 저는
부리나케 대구육군병원으로 뛰어가 엑스레이 실을
찾아가 군의관이 보내서 왔다고 하고 가슴사진을 찍
었습니다. 다음 다시 찾아가서 결과를 들으니 결핵
흔적은 있으나 현재는 음성이라는 결과를 들을 때
눈물 나게 하나님께 감사 했습니다. 하루는 교육을
다 마치고 저녁을 먹고 내무반에 들어오니 우리와
똑같은 훈련병인 다른 방의 건장한 훈련병이 들어와
아무나 막 때리며 행패를 부리고 있었으나 누구 하
나 말 한마디 못하고 당하고만 있었습니다. 제가 이
런 모습을 보고 너무나 화가 나서 "뭐야. 남의 내무
반에 들어와 개판치고 있는 거야. 똑같은 훈련병 주
제에 뭐야" 하며 소리를 질렀습니다. 다짜고짜 저한
테 태권도 옆차기를 했으나 저는 조금도 흔들림이
없이 피하지도 않고 그대로 서 가만히 보고만 있었
습니다. 피하거나 무서워 떨어야 할 텐데 조금도 무
서워하지 않고 노려보고만 있으려니 "네! 점호 끝나

고 화장실 옆 공터로 내려와" "알았어" 그 친구가 나가니 "그 사람은 필드하키 국가 대푠데 기관병들과 어울리며 저녁에 방마다 돌아다니며 개판을 치는데 아무도 말리는 사람이 없다" 고 말했습니다.

저는 속으로는 걱정이 태산 같았으나 동료들의 걱정을 하며 개의치 않는 듯 행동했습니다. 점호가 끝나서 저는 싸울 준비로 군화 끈을 단단히 묶으니 동료들은 주위를 둘러싸고 고문관인 줄 알았던 제가 세게 나가니 서로 눈치를 보며 걱정하고 있었습니다. 저도 내가 어쩌려고 이렇게 큰일을 저지르고 있나 하며 동료들의 근심어린 표정을 뒤로하고 뚜벅뚜벅 걸어 계단을 내려가는데 계단에 붙어 있는 초소의 문이 열리더니 그 친구가 들어오라고 부르는 것이었습니다. "화장실 옆 공터에 가자더니" 하며 가서 앞에 마주 앉았습니다. 앉자 저에게 손을 내밀며 우리 잘 지내자고 하며 화해의 악수를 청하는 것이었습니다.

저는 점잖게 같은 훈련병으로 모두가 힘든데 이러면 안 되지, 다시는 이런 짓 않기로 약속하고 헤어졌습니다. 오늘도 하나님께서 도우셨습니다. 반에 들어오니 너무 빨리 들어오는 저를 보고 놀라며 반겨 주었으며 감히 다시는 고문관 취급을 하지 않았습니다.

자대 배치

군의학교 수료 시 10등 안에 들면 원하는 데로 보내주는 관례가 있다고 하는데 게시판에 성적발표가 붙었습니다. 제가 8등이었습니다. 저녁 내내 부산에 갈까, 서울로 갈까, 생각했는데 다음날 아침에 다시 게시판에 가보니 놀랍게도 제가 8등에서 98등으로 변해 있었습니다. 낙심 됐지만 '하나님 저는 하나님께서 보내주시는 곳에 가겠습니다' 하고 트럭을 타고 자대로 가는데 38선이라는 낡은 옛 팻말이 보이는 산악지대를 지나니 최전방이구나 생각하며 '하나님 감사하게 받겠습니다.' 하고 자대에 갔습니다.

제가 대학3년 수료로 학력이 가장 높아 고급장교들이 자기 자녀들의 가정교사로 쓰려고 따로 불러 면접해 보고는 기억상실로 부모님 성함도 집주소도 자기 이름도 쓰지 못해 쫓겨나고 얻어맞기가 일쑤였습니다. 보병대대인 3의무지대로 바로 파견이랍시고 소총부대로 내쫓았습니다. 들으니 저의 대학 동창이 ROTC 장교로 바로 이 의무지대에서 근무 하다가 일주일 전에 전출 갔다고 했습니다. 한 동창은 3중대장으로 근무하고 있었습니다. 저는 지대장인 군의관에

게 제가 기억상실로 매우 어려운데 병원생활로 허송
세월을 보내기보다 국방의 의무부터 해야겠다는 생
각에서 복무연기를 할 수 있었으나 입대했다고 저의
형편을 상세히 설명했습니다.

약제계원으로 복무

　군의관은 즉시 저에게 이 시간부터 환자실에 기거하며 시험지 한 장에 빽빽이 영어로 타이핑된 구급낭 내용물 리스트를 주시며 같은 시험지에 한 장만 그대로 베껴 오라 하셨습니다. 저에게는 하루근무가 리스트 내용을 단 한 장을 옮겨 적는 것이었습니다. 그런데 우선 알파벳을 처음 보는 것 같아 글을 쓰기보다는 보고 모양대로 그렸습니다. 그리다보니 절반도 못 써 삐뚤빼뚤 시험지에 꽉 차고 마는 것이었습니다. 취침 전까지 화장실 가는 것과 식사하는 것 외에는 한 번도 쉬지 않고 썼으나 그 작은 타이프라이터 글씨만큼 작게 쓸 수가 없었습니다. 드디어 꼭 일주일 만에 비록 글씨는 엉망이지만 한 장의 시험지 속에 글자가 다 들어갔습니다. 저는 그 시험지 한 장을 들고 군의관한테 갔습니다.

　군의관인 지대장이 지대원 8명을 모아놓고 "오늘부터 강 이병은 약제계원으로 임명하니 모든 대원들은 최대한 협조해주기 바란다." 하며 영어사전, 한영사전, 국어사전 이렇게 세 권의 책을 사 주셨습니다. 보통 위생병과는 달리 약제계원은 12주 교육을 받아

야 하는데 아무것도 모르는 기억상실증에 걸린 환자를 모두들 의아해했습니다. 우리지대의 약제계는 1주일 후엔 제대하게 되고 아직 상부에서 이미 약제계를 보내줘야 하는데 또 곧 군의관이 전출 갈 테니 여러 모로 다급해졌습니다. 이때는 의료약품이나 장비가 국산은 없고 모두 미국산이여서 이름과 계급만 한글이고 그 외 병명도 영어로 기록해야 했으며 약명도 영어로 기록해야 하니 영어를 모르고는 4개 중대원들의 위생을 책임질 수가 없었습니다. 파견 나와 있는 의무지대는 단 한 사람의 약제계가 가장 중요했습니다. 그런데 영어는커녕 한글도 제대로 알고 쓰지 못하는 저에게 약제계의 크나큰 책임이 지워졌습니다.

가정교사노릇

　다른 선배들은 약제계를 전출 받을 수 없음을 알지 못하니 군의관의 심정을 알지 못하고 제가 군의관의 총애를 받는 것을 보는 선임자들은 제가 너무나 미웠을 겁니다. 일과가 끝나면 내무반장을 비롯해 선임자들은 저를 매우 괴롭혔습니다. 점호가 끝나면 저에게 성냥 1개비를 들고 총검술을 시키고 노래도 시키며 너무너무 괴롭혔습니다. 저는 책임감이 많은지라 밤에 잠도 제대로 자지 못하고 이미 작성된 처방전과 약을 비교해보며 참으로 열심히 공부를 했습니다.

　이때 저를 가장 괴롭혔던 내무반장인 권하사가 따로 불렀습니다. 실은 6개월 후면 제대하는데 제대 후 대학가고 싶으니 입시 공부를 좀 시켜달라고 했습니다. 저는 선임자의 말이니 마지못해 허락했습니다. 다음날 입시 준비 책들을 모두 사왔습니다. 마지막 점호가 끝나고 10시에 점등이 되면 우리 둘은 약제실에 들어가 알코올 호롱등불을 만들어 수업을 시작하니 아무것도 모르는 저를 택하여 개인교사를 삼아주니 잠도 제대로 못자 싫었지만 선임자의 명이라,

매일 저녁에 당하던 괴롭힘은 멈추었으나 기억이 전무한 저로서는 걱정이 되었습니다.

수업을 시작하기 전에 준비로 한번만 읽어 봐도 과거에 공부했던 기억이 살아나 저 자신이 얼마나 놀랬는지 몰랐습니다. 한 번씩 읽기만하면 너무나 확실히 깨달아 지는 것이었습니다. 그날 저녁부터 국어, 영어, 수학, 과학, 사회, 생물, 할 것 없이 읽기만하면 바로 바로 깨달아져 저는 예습도 없이 바로 읽어가며 가르쳤습니다. 권 하사도 저 보고 놀랐겠지만 아무에게도 말하지 않고 열심히 공부했습니다. 저는 기억이 떠오르니 너무나 기뻐서 정말 신나게 열심히 가르쳤고 조금도 피곤치 않았습니다.

그때는 잘 이해가 가지 않았지만 지금 이 글을 쓰며 비로소 하나님의 도우심을 깨닫고 "오 하나님! 도와 주셔서 너무나 너무나 감사 합니다. 삼위일체 하나님 사랑합니다." 6개월간 피곤한줄 모르고 둘은 열심히 공부를 했습니다.

술좌석에서

권하사가 제대한 후 저는 가르쳤다기보다 제가 정말 많이 배워 영어 처방도 국어도 많이 깨었습니다. 더더구나 몇 년에 한 번씩 하는 국방부 의무 감사가 있다고 해서 일과 끝이라도 의료 장비들의 이름을 알아야 하므로 밤마다 죄다 꺼내놓고 물체와 이름을 보고 외웠습니다. 그리하여 국방부의 의무 감사를 무사히 마쳐 기뻤습니다. 집 주소도 부모님 얼굴 모습도 생각이 안나 그간 휴가 한번 못가다 겨우 군복무 18개월이 되어서야 첫 휴가를 갔는데 기억은 없으나 바로 닥치면 알아졌습니다.

한번은 제대했던 권 하사가 찾아 왔는데 우석대학에 합격해 지금 잘 다니고 있다며 감사 인사를 했습니다. 단기간에 가르쳤는데 서울에 있는 대학에 합격할 수 있게 된 것은 지금 생각해보니 하나님의 도움이 없인 도저히 불가능한 일이라고 생각됩니다. 하나님께서는 저를 살리시려고 계획하셨던 코스였던 것 같았습니다.

한번은 환자를 엠브란스로 후송시키고 지대장과 내무반장, 선임자 몇이 차로 와수리에 가 모처럼 술

집에 들렀는데 저만은 술을 안 먹으니 밖에서 기다리고 있었습니다. 그런데 갑자기 술좌석에서 찬송가를 부르는 술 취한 목멘 소리가 들려 왔습니다. 그 소리를 듣는 순간 저는 제 정신이 아니었나 봅니다. 문을 박차고 들어가 "술자리에서 찬송가를 불러? 지대장은 기독교학교인 연세대학을 졸업한 분이 술자리를 펴고 더구나 찬송가를 불러?" 하며 소리를 질렀습니다. 모두가 아무 말 없이 귀대했습니다.

 점호가 다 끝나고 누군가 뒤뜰에 전원을 집합시키고 계급별로 엎드려 뻿쳐를 시키고. 강 일병이 상관을 기만 했다고 오늘 줄 빳다를 쳤습니다. 저는 일을 저질러 놓고 이 시간까지 얼마나 걱정이 되든지 저녁도 제대로 먹질 못했습니다. 이젠 최소한 7대는 곡괭이 자루로 맞을 테니 얼마나 아플까 걱정했습니다. 계급이 낮은 사람부터 한 대 때리고 저 다음에 엎드려 맞고 또 다음 올라가면서 때리고 또 자기도 맞고 죄 없는 사람도 저 때문에 맞으니 제가 맞는 것 보다 위엣 사람들에 대해 말할 수 없이 미안했고 앞으로 선임자들에게 괴로움을 받을 것을 생각하니 너무나 걱정되고 무서워 아픔을 생각할 겨를이 없이 다 맞고 벌은 끝났으나 너무나 미안했습니다.

후배들에게

다음날 화장실에 가 쪼그리고 앉아 변을 보려니까 엉덩이가 피 떡이 되어 쪼그리고 앉을 수 없이 아팠습니다. 며칠 고생했습니다. 제가 약제계로 있는 동안 고생하는 보병들을 위해 장교든 사병이든 동등하게 최선을 다해 처방해 주고 치료해 주었습니다.

한번은 연병장 옆을 지나오는데 사병 하나가 영하의 추위인데 기합으로 연병장을 뛰며 돌고 있었습니다. 이 추운 날씨에 뛰는 것을 보고 저도 같이 따라 뛰며 물었으나 아무 말도 없이 그냥 뛰고만 있었습니다. 자세히 보니 손목 부위가 이상히 보여 강제로 세웠습니다. 내가 책임질 테니 하며 억지로 의무지대로 끌고 왔습니다. 장갑을 벗기고 손을 보니 온통 동상에 걸려 있었습니다. 9중대에 알리고 바로 의무대에 입원시켰습니다. 양손 다 심한 동상에 걸려 며칠 뒤 후방으로 후송 시켰습니다.

한번은 보병중대 이등병 한 군인이 저를 찾으며 저와 이야기하고 싶다고 했습니다. 시골서 소작농으로 살고 있는데 자기가 군에 입대하고 건강이 별로 좋지도 않은 부모님을 떠나 입대하고 보니 마음이 너무나 괴로워 살 수가 없다며 차라리 매일 밤마다 북한 스피커에서는 소총을 갖고 북으로 넘어오면 보상금을 얼마를 준다 하며 뭣은 얼마 또 무엇은 얼마 하며 보상해주며 잘 살게 해준다는 이야기가 정말일까 생각하며 북한방송에 솔깃해, 아무리 생각해도 강병장님 외에는 의논 해줄 사람이 없어 저에게 문의하려고 왔다는 것 이였습니다. 저는 내심 깜짝 놀라며 나는 사실 북에서 태어났고 아주 부자 농가의 자손으로 태어났지만 여러 가지 나쁜 점이 너무나 많아 그 많던 과수원 농토 다 버리고 할아버지를 따라 월남했다고 장시간 설득시켜 보낸 일도 있었습니다.

교통 사고

　제가 선임자가 되고 내무반장이 되었을 때는 일과가 끝나면 자유롭게 앉아 제가 통기타를 치며 즐겁게 노래 부르곤 했는데 한번은 점호시간에 점호는 안하고 불침번도 없이 기타 치며 노래를 부르다 3대대 부대대장이 지나다 노래 소리를 듣고 들어와 저의 배를 지휘봉으로 쿡쿡 찌르고 저를 잡아가려 했지만 한 개의 대대에 약제계가 한 명밖에 없으니 잡아가지 못하고 기타만 뺏겼습니다.

　크리스마스 때가 되어 대대에서 단체로 극장에 간다고 전언이 와 우리는 기본인원 두 명만 남기고 3명과 다른 병사 모두 8명이 호로를 씌운 군용트럭에 타고 부대에서 나오는 농로로 겨울인데도 밤에 눈비가 와 비포장도로가 매우 미끄러워서 천천히 가다 그만 삐끗 하더니 논으로 거꾸로 뒤집혀 떨어졌습니다. 의자에 앉은 채로 그냥 뒤집어 놓았으니 우리 모두가 그대로 거꾸로 처박혀 모두 숨을 쉴 수 없어 기절해 있었습니다.

　먼저 제가 의식을 찾았는데 허리가 접혀 땅과 차체 사이에 앉은 그 자세대로 끼어 조금도 숨을 쉴 수가 없었습니다. 저는 있는 힘을 다해 막 비틀며 몸을 빼내려고 몸부림을 치니 갑자기 쑥 빠지며 숨을 쉴 수가 있었습니다. 숨을 몰아쉬고는 바닥에 엎드린 채로 기어 다니며 동료들을 빼 놓고 보니 한결같이 피를 토하며 큰 재채기를 하고 숨을 몰아쉬는 소리를 들으며 기어서 다음 사람을 또 다음 사람을 뺐습니다. 그리고 배로 기어 다니면서 트럭 뒤쪽으로 한 사람씩 빼냈고 숨 쉬는가 확인했습니다.

무사히 구조는 했으나 한결같이 피투성이가 된 입과 코로 숨을 쉬지만 의식은 없었습니다. 환자들을 살피고 있을 때 의무중대 엠브란스가 와서 한숨 돌리고 이제야 저 자신을 보니 아무 이상이 없는데 다만 배 부분의 갈비뼈 하나가 골절이 되어 아팠습니다. 비교적 양호했습니다. 제가 빨리 깨어 조처하지 못했다면 큰 사고가 될 뻔 했습니다.

제대하는 날

　제가 제대 하는 날 배낭을 메고 후배들이 모아 만들어준 금반지 끼고 개울가 눈 내리는 연병장 옆길을 걸을 때 눈 맞으며 연병장에서 총검술 훈련을 하던 사병들이 소대장의 지시도 없이 총을 눈밭에 내려놓고 와아 몰려와 제대하려고 가는 저를 끌어안고 우는 것이었습니다. 겨우 뿌리치고 가려고하면 다음 소대원들이 또 몰려오곤 하여 연병장을 빠져 나왔을 때는 너무나 시간이 많이 지나 제대병들을 태우고 가는 버스를 놓쳐 할 수 없이 혼자서 시외버스를 타고 가느라 많이 늦게 보충대에 도착했습니다.

　제대할 때 서울역에서 부산행 군용열차를 탔을 때 헌병 하나가 칸칸이 돌아다니며 휴가병들에게 그냥 시비 걸어 때리며 걷어차며 행패 부리고 있음을 보고 참다못해 한마디 항의 했다가 끌려가 배를 주먹으로 때려 엄청 많이 맞았으나 아무렇지도 않은 듯이 제자리에 돌아와 앉았습니다.

복학을 하고

제대 하자 집이 어려워 복학할 가능성이 전혀 없어보여 복학을 포기하고 취직이라도 하려고 마산에 있는 한일합섬에 고등학교 때 대신 싸워 주었던 정운경이 실험실장으로 있다고 하니 실험실에 취직 하려고 고등학교 시절에 보던 화학책을 며칠보고 입사 시험을 치렀습니다. 발표하는 날 당연히 떨어졌을 거라 생각했는데 1등으로 붙어 있었습니다. 그러나 고졸 자격으로 취직 해 봤자라 생각하고 포기했습니다.

어느 날 어머니께서 부르셔 말씀하시길 어떻게 저의 형편을 아셨는지 한 번도 듣지도 보지도 못한 아버지보다 2살이나 위이시고 저와 같은 항렬이신 강선재 6촌형이라 하시는 분이 한 학기 등록금을 대어 주셔서 4학년에 복학을 하게 되어 너무나도 하나님께 감사했습니다. 복학 하면서 국어와 한문 지식이 아직 많이 부족해 1학년 국어 수업을 신청해 1학년 교실에 들어가 1학년 학생들과 같이 수업을 받아 모두 잃어 버렸던 한글 지식을 보충했습니다.

4부

천안에서 시작한
장년기

취직시험

　졸업 후 저의 전공에 속한 우리나라에서 가죽회사로 가장 큰 대전피혁 입사시험에 응시했는데 필기시험과 면접시험을 둘 다 1등으로 합격했고 공장장과 몇몇 간부가 저를 따로 응접실에 불러 제게 일어로 기록된 전문서적을 주시며 읽어 보라고 해서 거침없이 줄줄 읽어 가는 것과 공장을 한번 둘러보고 개선하고 싶은 것을 서술하라고 한 논문에 너무나 자신있게 자세히 서술 했던 것에 놀랄 만큼 좋았다며 앞으로 같이 일하게 되어 고맙다고 인사까지 했는데 최종 통보에서 불합격되고 말았습니다.
　대학 동창생인 최경은 경위가 우리 동네 파출소 소장으로 와서 저의 신상을 보고 내가 북한서 초등학생때 김일성 상을 탄 일이 있어 우리 집 식구 전체가 연좌제에 해당되어 있다고 말해 아마도 신원조회에서 연좌제 문제로 불합격 된 것으로 생각되어 다시는 입사시험을 치르지 않았습니다.
　부산자갈치시장을 지나다보니 바다에 꼼장어 껍질이 마구 떠다녀 항만을 너무나 오염시키고 있어 바다 오염을 방지할 겸 꼼장어 껍질로 가죽을 만들면

일석이조라 생각하고 연구해서 성공하여 유원개발을
만들어 공장장으로 열심히 일했지만 사장하고 마음
이 맞지 않아 장어 가죽 계에서 손을 떼고 외삼촌께
서 서울에 있는 화강섬유에 추천해 주셔서 관리과장
으로 픽업되어 천안공장에 발령 받아 5년 동안 근무
했습니다.

결혼

저는 결혼 하지 않고 목회자가 되려고 생각해 결혼 생각은 아예 하지 않았습니다. 바로 밑의 남동생이 애인이 생겨 부모님께서 형이 결혼 안했는데 동생부터 할 수 없다고 하셨으나 방에 처박혀 연구만 하니 아버지께서 매우 걱정하셨습니다.

아버지께서 스웨덴아동구호연맹[한국 전쟁으로 어려움을 당하고 있는 한국 아동을 돕기 위한 스웨덴 구호단체] 에 근무하시고 계셨을 때였는데 저보고 저녁에 아버지회사로 오라고 하셔 회사로 갔습니다. 난데없이 아버지께서 한 여자 분을 소개하시는 것이었습니다. 이 처녀 분은 타이피스트로 신문 공고를 보고 취직하려 원서 내려 왔는데 그때 김타, 공타, 두 가지 타이프가 있었는데 이 여자 분은 김타만 칠 수 있다고 하여 회사 조건에 맞지 않아 취직은 할 수가 없었습니다.

그러나 아버지께서 저의 배필로 생각하셔 아버지의 소개로 결국 저와 결혼을 하게 되었습니다. 저의 처는 화장실에서 휴지 [이 당시는 지금 같은 휴지가 없어 신문지를 잘라 휴지로 쓸 때였음]를 뒤적이다

우연히 신문광고에서 스웨덴아동구호연맹에서 낸 타이피스트 구직 광고를 보게 되어 취직신청 왔다가 결국 저와 결혼하게 되었습니다. 어찌 하나님의 은혜라 하지 않을 수가 있겠습니까. 저의 처는 하나님께서 직접 저의 아버지를 통해 보내 주신 분입니다.

천안에서 근무

그 후 천안에 있는 일본 합자회사인 코리아와코르에 과장으로 픽업되어 열심히 일했습니다. 관리과장으로 포장반과 검사반을 맡아 일하며 수입수출업무 일을 담당했습니다.

검사반을 5년 동안 관리하는 동안 매일 아침 반 조회 시 총 96가지 노래를 가르쳤고 업무 시작 전에 꼭 노래를 신나게 부르고 시작했고 한 달에 한 번씩 전체 공원들 생일을 위해 모여 다과도 나누고 오락도 하며 생일 축하잔치를 제가 전적으로 맡아 했습니다. 검사반장이 결혼할 때 검사반 전원이 나가 제가 2부 합창으로 가르쳐준 합창을 하기도 해 모두 매우 만족해했습니다.

저는 예수를 믿던 안 믿던 떠나는 사람에게 성경 찬송 두 권을 선물로 사 주곤 했습니다.

1981년 12월 22일 국가에서 200억불 수출의 날로 정하고 대대적인 행사를 했을 때 불량률을 15프로에서 1프로로 줄인 공로를 인정받아 충남도지사상을 탔습니다. (사진의 시계)

한번은 서울 본사에서 사장이 시찰 나왔는데 저의

직속인 기계장한테 와서 개인서랍을 열어 책상 위에
쏟아놓고 개인 물건을 서랍에 넣었다고 야단을 치고
있다고 한 직원이 저한테 인터폰으로 연락이 와서
저는 현장에 있다가 부리나케 달려갔습니다. 책상 위
에 널려 있는 물건들을 보고 다짜고짜 사장한테
"부하의 개인 물건을 이렇게 마구 뒤져서야 되느
냐"고 따졌습니다. 사장이 저를 픽업해 이 회사에
과장으로 입사 했는데 직원들이 보는 앞에서 개망신
을 당했으니 얼마나 화가 나고 괘씸했을까요. 그 후
결국 저와 기계장은 회사에서 강제 퇴사 당하고 말
았습니다. 이때 제가 관리했던 사람들이 돈을 모아
손목시계를 이별 선물로 사 주었습니다.

　나중에 전해들은 이야기로 자기 부하를 위해 해직
당하기까지 변호해 준 훌륭한 상관이라고, 저의 행적
을 이 회사의 전설로 계속 전해지고 있다고 했습니
다. 그러나 저는 직장이 떨어져 앞이 캄캄해 얼마나
울었는지 모릅니다. 결과적으로 생각해 볼 때 하나님
께서 저를 천안에서 살지 말고 서울로 보내 주시기
위함 이였습니다.

수경재배

　그리하여 하남시로 이사와 비닐하우스 3동을 짓고 수경재배를 연구하며 상치를 주로 재배했습니다. 제가 고등학교지만 화공과를 졸업했으므로 남들은 배양액을 일본서 수입했지만 저는 성분과 분자량을 계산하여 구하기 어려우면 비슷한 약품으로 마음대로 대처하여 사용할 수 있어 배양액을 싸게 만들어 사용했습니다.

　여름에는 하우스 속이 어찌나 더운지 혼자서 연구하며 재배하니 섭씨 50도 이상이 되는 하우스 생활이 너무나 힘이 들었으나 한결같이 즐겁게 땀범벅 속에서도 찬송과 복음성가를 소리쳐 부르며 일을 했습니다. 이렇게 노래를 부르며 일하는 것이 나 자신의 일이라 생각하니 너무나 감사했습니다.

　유원개발에 있을 때 작은 매부와 같이 일했는데 제가 사장과 마음이 안 맞아 퇴사했을 때 사장이 매부를 시켜 기술을 배우라고 공장장으로 세워 제가 크롬약품을 제조할 때 어깨너머로 봤으니 그 실력으로 제법 가죽 처리를 했습니다. 갑자기 매부는 공장장이 되어 월급을 많이 받으니 방탕한 생활을 했습니다. 저는 크롬제조 공정에서 반드시 방독면을 쓰고 가운을 입고 작업을 했는데 매부는 그냥 작업을 해 결국 중금속 중독에 걸려 사망하고 말았습니다. 저도 방독면까지 쓰고 조심했지만 중금속 중독 증상이 이 따금 나타나 길을 걷다가도 허벅지가 움직이지 않아 꼼짝 못하고 그대로 서 있곤 했습니다. 50도가 넘는 하우스생활을 하다 보니 완전히 땀에 쩔어있곤 했습니다. 그래도 내 일이라 즐겁게 일했습니다. 일을 마치고 샤워를 하려면 피부에 크롬녹색의 때가 나오곤 했습니다. 몇 해가 지나 푸른 때가 완전히 없어지니 중금속 장애 증상이 사라졌습니다.

하나님께서는 저의 중금속 중독에서 살리시려고 섭씨 50도가 넘는 하우스에서 일하게 하셔 피부에 축적된 중금속을 제거해 주셨던 것입니다. 나중에 깨달은 일이지만 이 모든 일은 하나님께서 직접 간섭하셨던 것입니다. 하나님께서 저의 형편을 사사건건 간섭해 지켜 주심을 감사드립니다.

푸른수경원

    푸른수경원이라는 이름으로 콩나물도 외주로 받아 저의 처가 포니픽업을 운전하며 콩나물과 수경 상치를 백화점과 체인점에 거래를 터 가며 직접 납품했습니다. 백화점이 폐점 되었을 때는 물건 값 한 푼도 못 받은 때도 있었습니다. 고생은 말할 수 없을 만큼 많이 해 5년 만에 대전에 까지 납품하며 살만하다 할 때 아마도 입니다만 누가 콩나물 농약 재배했다고 신고 해 하룻밤에 제가 경찰에 연행되었고 제가 직접 기르지 않았지만 교사했다고 1심에서 2년6개월의 형을 받았고, 2심에서는 무죄를 받았으나 죄목을 포장지에 무공해라는 선전 문구 때문에 사기죄로 1년형을 받아 1년을 복역했습니다.

도배를 하며

　그 후 저는 도배를 배워 도배를 생업으로 살았으나 주일은 쉬어야하니 계속 해야 하는 일은 아무도 저를 팀에 끼워 주지 않았습니다. 할 수 없이 지물포에서 소개 해주는 일만 하려니 너무나 일이 없어 생활이 어려웠습니다.

　한번은 교회의 집사님이 연립주택 도배를 할 수 있게 해 주어 나이가 많아서 일을 못한다는 말을 듣지 않으려, 써주지 않을까 걱정하며 최선을 다해 일했습니다. 하루는 일 가려고 오토바이를 타고 도배하러 가 오토바이에서 내리는데 다리에 힘이 하나도 없어 그냥 주저앉아 일어날 수가 없었습니다. 할 수 없이 다른 도배사에게 연락하여 인계해주고 집에 왔습니다. 이때는 철물점을 할 때라 저의 처는 철물점에서 자고, 저는 하우스에서 자려고 가 큰아들이 자고 있는 옆에서 자려는데 갑자기 의식이 점점 몽롱해져 이제는 죽는구나 할 때 갑자기 역겨워 쓰레기통에 토했는데 붉은 핏덩이를 엄청 많이 토하면서 의식이 점점 살아나기 시작했습니다. 옆에 자고 있는 아들을 깨우려 말을 하려 해도 할 수 없고 잡아 흔

들어 깨우려해도 도무지 손이 가 지질 않아 애쓰다 겨우 아들이 덮고 자는 이불끝 을 잡아 끌어 깨워 저의 모습을 보고 엄마한테 전화 하여 처가 차로 혼비백산이 되어 달려와 쓰레기통의 붉은 핏덩이를 보고 놀랐습니다.

아침에 보훈병원에 가 처는 진찰 신청을 하고 저는 혈압을 재려고 혈압기에 팔을 넣고 힘이 없어 엎드려 있으려니 지나가던 간호사가 "맥박이 안 잡히네" 하며 저를 응급실로 데려가 위내시경진찰을 하는데 의사선생님이 "위정맥이 터졌는데 어떻게 막혔는지 알지 못하겠으나 만일 막히지 않았으면 큰일 날 뻔 했습니다." 라고 말했습니다. 아들이 보호자로 따라 들어와 다 보았습니다. 즉시 조치 없이 기적같이 살았네 하였습니다. 이번에도 하나님께서 도우신 거지요 하나님 감사합니다.

마천동 연립주택에서

하우스에서 살 때 대낮에 저의 큰아들이 드럼통 반쪽짜리 쓰레기통에서 쓰레기를 태우다가 깜빡 잠이 들어, 주위에 있는 잔디에 불꽃이 튀어 소방차까지 출동했으나 완전히 하우스가 전소 되어 살수 없게 되어 성남에 세받고 있던 아파트를 팔아 서울 송파구 마천동에 있는 동아주택으로 이사 오게 되었습니다.

이번에도 하나님께서 저희를 서울에 입성 시키시기 위해 살고 있는 거처를 태워 없애버리셔 결국 부산에서부터 천안으로, 천안에서 하나님께서 강제로 쫓아 하남시로, 하남시에서 또 강제로 쫓아 서울시 송파구 마천동 동아연립주택으로 보내주시고 다시 재건축하여 결국 최종 저의 보금자리인 비록 단독 20층짜리 107세대의 여미지아파트지만 전망이 매우 좋은 16층을 허락하시고 주택연금으로 죽을 때까지 일용할 양식까지 준비해주신 하나님 얼마나 감사한지 모르겠습니다. 삼위일체 하나님 감사합니다. 정말 사랑합니다.

가스불 사고

　　IMF때 저의 처는 일본에 돈벌이가고 큰아들은 호주에 Working Holiday로 갔고 작은 아들이 휴가 왔다고 해서 집에는 먹을 것도 별로 없어 우선 계란 10개를 냄비에 담아 가스불에 올려놓고 깜빡 잊고 구역장으로 구역 식구 집에 가서 구역 예배를 드렸습니다.

　　그리고 집에 오다 교회에 들러 목사님 차를 타고 가평기도원에 기도회가 있어 가려던 차에 목사님께서 집에 잠깐 들렸다 가신다고 하셔서 잠시 차가 섰을 때 갑자기 계란 생각이 나서 불났을까봐 바로 저의 집 옆이라 정신없이 집으로 뛰어가 걱정하며 문을 열있을 때 집안은 온동 까민 연기로 가득 차 있었습니다.

　　안에서 "아버지" 하며 작은 아들이 새까맣게 탄 냄비를 들고 있었습니다. "하나님 감사합니다." 라는 말이 절로 튀어 나왔습니다. 2시간은 지났을 텐데 불이 안 났으니 기적이지요. 그런데 다음날 신문을 보다 또 한 번 놀랐습나. 프랑스에 유학 갔던 여자 유학생이 집에 잠시 왔다가 가스불에 주전자로 물을 끓이다가 깜빡 잠이 들어 불이나 사망했다는 뉴스가 있어 돌아가신 분 유족에게는 죄송한 일이지만 저는 또 한 번 하나님께 감사했습니다.

아버지 소천

　남동생이 마산에 살면서 부모님을 모시고 계셨는데 갑자기 동생한테서 아버지께서 위독하시다고 연락이 와 급하게 온 식구가 동생 집으로 내려갔습니다. 동생 집은 농장이라 양어장도 있어 아버지께서 휴양하시기에 매우 좋았습니다.

　아버지는 음악을 매우 좋아하셔 북한에 있을 때 신포극장에서 오 쏠레미오를 위시하여 외국 노래를 독창하셔 북한 사람뿐만 아니라 러시아사람들한테서도 갈채를 받았다고 하실 정도로 바리톤의 훌륭한 음성을 타고 나셨습니다. 노래를 부를 때는 가성이 아닌 자연스런 자기 목소리가 그 사람으로는 가장 좋은 노래가 될 수 있다고 말씀히셨습니다. 자녀인 우리 6남매는 음악을 매우 좋아해 평생 교회에서 성가대원으로 봉사를 했으나 아무도 아버지의 목소리를 받은 사람은 없었습니다.

　아버지는 부산의 대청동에 살 때도 혼자 뒷산인 부산 남해바다와 수평선이 훤히 보이는 대청공원에 올라가셔 마음껏 노래를 부르시곤 하면 그 아래에 있는 우리 집에까지 들리곤 했습니다. 뿐만 아니라 노년이 되시곤 책을 좋아하셔서 보통 밤 2, 3시까지 보시곤 하셨답니다.

　동생 집에 가보니 아버지께서 치매도 없으시고 말씀도 잘 하셨습니다. 며칠 있는 동안 저는 아버지 옆에 누워 잤습니다. 제가 아버지 옆에 앉자 이야기 나누시던 중　갑자기 저의 옆을 보시며 "야 네 옆에 빛나고 하얀 옷을 입은 예쁜 여자 같은 분이 서 있다." 하시며 매우 밝은 표정을 지으셨습니다. 저는 놀라며 "아버지! 어디요?"　"바로 네 옆에 있잖아"　"아버지! 저는 안보여요, 믿음이 없어서 안 보이는가 봐요." 그 후에 마태복음 5장 8절의 말씀이 생각났습니다. "마음이 청결한 자는 하나님을 볼 것이요." 그러니 저의 옆에 있는 하얀 옷 입은 여인은 천사란 것을 깨달았습니다.

　다음날 아침에 아버지께서 옆에 있는 서랍장 손잡이를 잡고 일어나시기에 옆에 앉아 있던 저는 얼른 부축하며 일으켜 뒤에서 안았습니다. 그때 저에게 "나 물 좀 다오." 하셔서 거실 쪽으로 "야! 숙경아, 아버지께서 물드시겠다 하신다." 하고 여동생을 부르니 여동생이 바로 양재기에 냉수를 떠와 "아버지, 물드세요" 하며 물을 한 숟가락 떠서 아버지 입술에 갖다 대고 조심스럽게 기울였을 때 예기치 않게 입 안에 들어갔던 물이 그냥 주르륵 흘러 내렸습니다. "아버지, 물이 그냥 흘렀습니다." 그때 아버지는 고개를 숙이시는 것이었습니다. 순간 숨을 거두셨다 생각하고 얼른 눕히고 인공호흡을 했으나 보통사람

인공호흡 할 때와는 다르게 느껴져 포기하고 하나님 뜻을 거역 말고 조용히 보내드리자고 생각하고 그대로 보내 드렸습니다. 하나님께서 저의 아버지를 정말 사랑하셨나봐요 그간 근력은 없으셨으나 아프시지도 않으셨고 아들의 품에 안기어 아무 고통 없이 소천케 하신 하나님 정말 감사했습니다.

비석에는 아버지께서 가장 좋아 하시던 성경 말씀 "너희는 근심 하지 말라 하나님을 믿으니 또 나를 믿으라 내 아버지 집에 거할 곳이 많도다. 요한복음 14장 1, 2절" 말씀을 기록했습니다. 신승교회 담임목사이신 고 장성웅 목사님께서 위로 예배드리시려 서울서 마산까지 오셔서 주시는 말씀이 바로 아버지 묘비에 쓴 바로 그 말씀인 요한복음 14장 1, 2절을 주셔서 또 한 번 하나님께 감사했습니다.

오토바이 사고

　그 후 저는 대치동에 있는 스포츠 센터에 취직 했
습니다. 사장님, 전무님 모두 예수 믿는 회사라 너무
좋았습니다. 6시 전에 출근해야하므로 버스로 출퇴근
할 수 없어 오토바이로 다녔습니다. 5시에 집을 출발
해야하므로 나이키 검은 잠바 위에 밤에 쉽게 보이
게 하얀 러닝셔츠를 덧입고 탔습니다.

　퇴근길에 신호등에 서 있는 제 오토바이를 여자가
모는 소나타 승용차가 쳐서 공중에 한 바퀴 돌고 떨
어져 피투성이가 되어 의식을 잃은 교통사고가 났습
니다. 약 한 달 동안 혜민 병원에 입원해 있을 때는
의식이 왔다 갔다 했으며 서울병원으로 옮겼을 때도
눈이 초점을 잃고 있었다고들 했습니다. 척추가 2개
다쳤는데 하나는 완전히 부서져 허리가 38도 굽어진
곱사가 되었고 갈비뼈는 9개나 부러져 내장이 모두
밑으로 쏟아져 내려 허파가 눌려 호흡이 가빠져 매
우 괴로워서 처음에는 계속 산소 호흡기를 달고 살
았고 호흡기를 떼고도 안정제주사를 맞아야 잠을 잘
수 있었습니다. 내장 때문에 배가 보기 흉하고 키도
8.5cm나 줄었습니다. 굽은 허리를 펴기 위해 상계백

병원서 재수술을 했는데 전신마취 강제호흡에 수술을 5번 그냥 마취수술은 12번이나 했답니다. 첫 번 수술은 9시간 30분이나 했답니다. 하나님께서 훌륭한 의사를 붙혀주셔서 부서진 척추는 골반 뼈를 잘라 이어 구부러진 허리를 완벽하진 않아도 펼 수가 있었습니다. 중환자실에 있을 때 의식이 깨어나지 않아 2번이나 주치의가 저의 처에게 온 가족을 불러 오라 하며 마음의 준비를 하라고 했답니다.

의사까지 가망이 없다고 했지만 하나님께선 저를 기적 같이 살리셨습니다. 뿐만 아니라 양 손가락 2개 씩 4개가 힘을 받지 못하고 오른 발도 깁스 했댔습니다. 척추에 핀을 20개나 박았으며 왼손도 수술했으나 크게 효과가 없어 지금까지 세끼손가락 쪽 2개가 부자연스럽고 오른손가락 새끼손가락 쪽 2개가 불편해 젓가락질을 전과 같이 하진 못합니다.

등 봉합수술

마지막 등 봉합수술을 할 때는 너무나 힘들었습니다. 주치의의 말이 너무나 오랫동안 열어 놓아서 끝이 말라서 봉합을 해도 붙을 수가 없으니 끝부분 양쪽 다 1cm씩은 잘라내야 하고 만일 그래도 붙지 않으면 허벅지 피부를 떠서 이식해야 한다고 해서 저는 하나님께 오늘도 도와 달라고 기도했습니다.

부분마취 주사를 놓고 피부 단면을 자르려고 하니 마취가 되지 않아 의사들이 쩔쩔매고 자기들끼리 걱정하는 소리를 듣고 제가 말했습니다. "저의 걱정은 하지 마시고 제가 아파 소리를 지르든 말든 인정사정없이 계속 봉합수술을 해 주십시오"

막상 집게로 집고 자르기 시작하니 얼마나 아픈지 예수님 십자가 고통을 생각하며 이를 악물고 저는 참고 있으나 몸이 견디지 못해 구역질을 하며 속엣것을 깡그리 다 토하며 복부 근육이 뒤틀리고 말할 수 없을 정도로 괴로웠습니다. 한 간호사는 저의 입을 따라 다니며 토한 오물을 받는 일만 했습니다. 봉합수술에 환자 의료진 모두 땀범벅이 되었습니다.

수술이 끝나니 "하나님 감사합니다." 하는 말과

깊은 한숨이 저절로 튀어 나왔습니다. 그래도 저는
한 번도 소리를 지르지 않았습니다.

입원생활하며

저는 3년 7개월 동안 입원 생활을 하면서 사고 나고 제가 처음 혜민병원에서 처음 깨어났을 때 첫마디가 "하나님 통치셨습니다." 하는 기도가 먼저 나오며 저는 마음이 기뻤습니다. 저의 믿음은 영혼은 구원 받았으나 육신은 지은 죄에 해당되는 만큼 그 죗값으로 한번은 크게 벌을 받을 거라 늘 생각하고 살았습니다.

다윗이 하나님께서 "내 마음에 합한 사람이라" (행13:22) 하시며 매우 기뻐하시는 자였으나 우리아의 아내 밧세바를 범하고 게다가 우리아 장군을 전쟁에서 죽게 한 죄로 말년에 아들인 압살롬에게 반역을 당해 하나님의 공의의 심판을 받은 사건을 생각하며 언젠가는 저도 지은 죄의 대가를 받을 것이라 생각한 터라 이제는 통쳤으니 홀가분해 누워서 뒤척이지도 못할 때도 "하나님 이제는 저를 빨리 데려가 주십시오." 눈만 뜨면 "더 살면 죄를 더 짓지 하나님께서 기뻐하시는 삶만은 살 수 있을 것 같지 않습니다."

저는 그래도 하나님께서 생명을 다시 주셨으니 재

활운동을 해야 하겠다는 생각에 배에 물이 차서 7번이나 다시 뚫어 호스를 옆구리에 꽂고도, 의사가 말려도 한 손엔 복수통 또는 소변 줄이 꽂힌 소변통을 들고 계단 17층을 시간이 있는 대로 처음에는 몇 계단만 걷다 힘들면 승강기를 이용하곤 했습니다. 17층을 걸어서 오르내리는 저를 간호사들이 말리려고 했으나 저는 듣지 않고 "하나님 빨리 데려가 주십시오" 하며 죽기 살기로 운동을 했습니다.

많이 회복되어 동네 정형외과 병원으로 옮긴 후 하루는 사고를 낸 여자 분이 여자목사님을 대동하고 사과할 겸 병문할 겸 사고 후 한 달 정도 되었을 때 찾아왔습니다. 그때는 어느 정도 의식이 돌아 왔을 때라 또렷한 정신으로 그분들에게 말했습니다. "이 모든 사고는 하나님께서 저에게 주시는 지금까지 살아오는 동안에 지은 죄에 대한 벌로 이해하고 있으니 저를 위해 빨리 정상으로 회복되게 해달라고 열심히 기도나 해 주십시오 아주머니의 순간적인 실수로 난 것이지 고의가 아니니 너무 자책 마시고 저의 처가 오기 전에 어서 돌아가십시오! 병문안해 줘서 고맙습니다." 아주머니는 50만원 담긴 봉투를 놓고 갔습니다.

가습기

　얼마 지나서 다시 통증이 와서 통증클리닉을 전전하다 도저히 견디지 못해 결국 상계백병원에 다시 입원하여 척추에 박은 핀 20개를 다 제거하려 재수술을 하고서야 완치 되었습니다. 병원비는 보험회사서 지불하지만 하루에 5, 6만원씩 드는 간병비 구하느라 너무나 어려운 생활 중 저의 처가 정말 고생 많이 했습니다.

　저의 처가 간병비 영수증을 다 모아 그때 당시 유명했던 함문선 변호사를 선임해 법원에 제출했지만 아무런 효력이 없었습니다. 보험회사에서는 겨우 6천만 원을 보상 받았다고 했습니다. 저는 지금까지도 건조한 환경이 저의 호흡기계통을 특히 숨쉬기가 어려워 겨울에는 지금도 가습기 없인 잠들기 어렵습니다. 제가 병원에 있을 때도 저의 머리맡에는 가습기가 꼭 있었는데 처가 저의 건강을 생각해 TV에서 연일 선전하는 가습기 소독제를 산다고 마음을 늘 먹고는 있었지만 한증막에서 일했는데 자신의 생활이 너무나 바쁘다보니 번번이 잊어버려 결국 구입하지 못해 한 번도 사용하지 못했으나 몇 년이 지나 사람을 해치는 독극물이라는 판결이 나와 애기들을 비롯하여 많은 사람이 피해를 입어 10년이 지난 지금에도 그 후유증 때문에 소송이 계속 되고 있습니다만 그때 처가 그 가습기 살균제를 구해 저에게 사용했었다면 장기간 사용한 저에게는 아마도 치명적 해를 입었을 것입니다.

하나님께서는 몇 년 동안이나 저의 처가 그 약품을 구입하지 못해 사용 못하게 해 주셔서 얼마나 고맙고 감사했는지, 가습기 살균제에 대해 매스컴에 나올 때마다 우리 부부는 하나님께 감사합니다.

5부

서울에서 마무리하는
노년기

간증의 이유

주치의까지도 살기 어렵다고 했지만 지금은 하나님께서 저를 아주 건강하게 80대까지 살려주셨으니 이제는 비록 늙었지만 하나님을 위해 할 수 있는 것은 저의 삶을 간증으로 기록해 믿는 자가 받는 하나님의 사랑을 널리 전해야함이 저의 마지막 사명이라 생각되어 이 글을 씁니다.

창조주 되시고, 복의 근원되시며 독생자 아들까지 아끼시지 않으시며 오직 아가페 사랑 그 자체이신 성부 하나님 사랑합니다.

하늘의 영광 버리시고 죄인들을 위해 우리 대신 십자가의 고난을 받으시고 부활의 소망, 천국의 소망을 주신 성자 하나님 사랑합니다.

우리의 연약함을 도우시며 마땅히 빌 바를 알지 못해 받지 못 하는 우리를 위하여 말할 수 없는 탄식으로 친히 간구해 주시는 성령 하나님 사랑합니다. 오, 삼위일체 하나님 감사와 영광과 찬양을 드립니다. 아멘.

믿음생활

    저의 믿음생활은 "순종이 제사보다 낫다." (삼상 15:22)하신 성경 말씀을 늘 상고하며 살아왔습니다. 우리가 하나님을 믿는 것은 예배가 가장 중요 하지 만 보다 중요한 것은 "네 마음을 다하며 목숨을 다 하며 힘을 다하며 뜻을 다하여 주 너의 하나님을 사 랑하고 또한 네 이웃을 네 몸과 같이 사랑하라.(눅 10:27) 항상 기뻐하라 쉬지 말고 기도하라 범사에 감 사하라.(살전5:16~18)" 하신 이 말씀이 저에게는 최 고의 말씀으로 알고 살아 왔습니다.

    구약시대에는 다니엘이 예루살렘을 향해 창문을 열어 놓고 하루에 3번씩 기도했음을 매우 강조 했으 나 신약 시대에서는 쉬지 말고 기도하라고 말씀 하 십니다. 예배드릴 때는 당연히 진정과 신령으로 하고 각자의 생활이 교회생활은 물론 가정생활, 사회생활 이 나 외에 다른 사람들에 대해 하나님께서 잘했다 인정해 주시는 삶이였는지? 아침에 잠에서 깨어나서 바로 주님께서 가르치신 주기도 하는데 한 번에 기 도를 마친 일이 거의 없습니다. 기도 후 내가 기도를 한 구절씩 마음속 깊이 생각하며 기도 드렸는지 점

검해보면 번번이 몇 구절은 그냥 주문 외듯이 뜻도 생각 않고 넘어간 것을 알고 처음부터 다시 시작하곤 한답니다. 너무나 잘 아는 주기도문이라 쉽게 생각할 때가 너무나 많아, 기도 중에서 저한테는 가장 하기 힘든 기도입니다.

부득이한 사정으로 예배시간에 늦게 되면 "하나님 아버지 죄송합니다. 오늘 늦었습니다. 그러하오니 이 시간 드리는 예배는 청강생[지금은 없는지 모르나 전에는 입학 시 정원 외에 졸업 시 학점을 다 이수해도 학사가 될 수 없는 학생]으로 인정 해 주시옵소서." 기도드리곤 했습니다.

화장실에 가서는 "하나님 아버지 화장실에 왔습니다. 오늘도 대소변을 시원하게, 오장육부도 건강하게, 좋은 공기도 마음껏 마시게 하여 주셔 감사 합니다."

또 식사 시에는 당연히, 음료수나 물을 마실 때도, 운동하려 나갈 때도, 갔다 와서도, 운전할 때도, 몸이 좀 불편 하신 분이 지나가시면 그분의 건강을 위해서도, 건널목 건널 때도 기다리지 않고 바로 건너게 되면, 승강기를 바로 만나게 되면, 감사 기도를 합니다.

길을 걸으며

  특히 비가 많이 온 후에는 자전거 도로에도 걸으며 길에 돌이나 나뭇가지가 보이면 발로 차 가로 보냅니다. 제가 이 도로에서 인라인 스케이트를 타다가 작은 돌에 걸려 앞으로 콕 고꾸라져 이마를 다친 일이 있었고 중학생들이 자전거 타고 하교 하다가 앞의 학생이 작은 돌에 걸려 넘어지니 뒤따르던 친구도 같이 넘어졌고 저는 인라인 스케이트 타고 그 뒤를 따르다 저도 모르게 학생들 자전거를 뛰어 넘었던 기억이 있어 그 후부터는 비닐이나 마스크나 휴지가 있으면 아주 큰 것 외에는 줍지 않고 수거 하는 분들이 줍게 놔두고 그분들은 돌이나 나뭇가지는 줍지 않기 때문에 보이는 즉시 발로 차 가로 밀어 내곤 했습니다. 개똥도 치우고 비온 후엔 많이 나오는 지렁이도 풀숲에 보내주고 운동기구에 고여 있는 빗물도 손으로 쳐내며 지나갑니다. 어떤 때는 관리하는 사람이 지나다가 자전거 도로에서 걷는다고 호되게 야단맞기도 했습니다.

전도하는 삶

극동방송을 듣다가도 아멘, 한번은 성내 천에서 걷기운동 하다 나이 비슷한 분을 만나 이야기 할 기회가 생겨 같이 벤치에 앉자 영혼이란 주제로 장시간 토론하다 부인이 마천 중앙교회 권사이지만 본인은 예수 믿지 않는다고 해서 아무 말 말고 나와 같이 가자고 하여 엠마오기독서점으로 데려가 마천중앙교회에선 어느 개역 판의 성경을 사용하는지 큰 글자의 성경책을 내놓으라하고 그분에게 보시기 쉬운 글씨체를 골라라 하고 값을 치루고 그분에게 쥐어 주고 아무 말 없이 돌아서 "안녕히 가십시오." 인사하고 먼저 가려니 얼른 와서 붙잡으며 이름이라도 가르쳐 달라고 해서 할 수 없이 영수증 위에 저의 이름만 적어 드리곤 먼저 내려왔습니다. 그리고는 한번도 만나지 못했습니다.

저의 처가 강서구에 있는 웰튼병원에서 무릎 인공관절 수술을 할 때 같은 병실에 있던 할머니께서 월요일에 퇴원 하신다고 해서 오늘은 이미 토요일 밤이라 성경을 구입할 수 없어 집에 와서 오금동에 있는 본 교회에서 예배드리고 명예장로 임직 때 받은 성경책을 갖고 가 퇴원하시는 할머니께 드리니 예수 믿는 할머니가 아니지만 사연을 듣고 얼마나 고마워하는지 성경책을 가슴에 꼭 껴안고 좋아 했습니다 그 후에 한번 집에 찾아뵙고 전화도 드렸습니다.

상계백병원에 입원해 있을 때도 같은 병실에 있은 남자분과 다른 병실에 있은 여성분도 전도해 병원에서 수고하시는 전도사에게 인도했습니다.

청량산을 오르며

마천동 동아연립이 재건축하게 되어 위례에 있는
아들집에 2년 반 정도 있을 때 저는 매일 남한산성
이 있는 청량산에 2시간씩 등산할 때 청소하는 사람
이 없어 제가 매일 등산하면서 쓰레기를 주웠습니다.
뿐만 아니라 정자가 있는데 바람이 많이 불어 정자
안 구석에 너무나 먼지가 많이 쌓여있어 제가 페트
병에 물을 담아 올라가 낡은 수건을 걸레로 닦곤 했
습니다. 제가 물걸레로 깨끗이 닦아 놓으니 어떤 젊
은이는 벌렁 드러누워 구르며 좋아 했답니다.

한번은 40대 젊은 남자 청년이 제가 정자에 걸터
앉아 쉬고 있는데 저보고 어떤 아저씨가 그러시는데
목사님이신지 장로님이신지 한 분이 매일 수고하신
다고 청량산 산책로의 쓰레기를 수거할 뿐만 아니라
물을 페트병에 담아 와 걸레로 닦아 이렇게 깨끗하
답니다. 그 말을 들을 때 하나님께서 저에게 이런 마
음을 주서 감사했습니다.

성내천 길에서 매일 2시간 이상 걸으며 기구운동
을 할 때도 이어폰으로 극동방송을 들으며 중보기도

도 같이하고 찬송도 같이 부르며 성경 암송도 하며 걷기 운동을 하니 얼마나 즐겁고 감사한지 모릅니다. 우리가 기도할 때 우리 아이만 위해서, 나 자신만 위해서, 기도할 때가 많이 있습니다. 야고보와 요한의 어머니처럼 예수님께 와서 하나는 예수님의 우편에 하나는 좌편에 앉게 해 달라고 부탁했을 때 예수님께선 나의 좌우편에 앉는 것은 하나님 아버지께서 하실 일이라고 말씀하시듯이 우린 하나님의 뜻만 구해야 된다고 생각 합니다. 꼬리가 아닌 머리가 되게 해 달라든가, 다른 사람의 자녀는 떨어지고 내 자녀가 어느 대학에 꼭 들어가게 해 달라든가 [정원이 정해져 있으니까 누구를 낙방시킬 것인가?]

헌금 봉투에 소원을 적어 드리면 그건 뇌물이 됩니다. 저는 십일조, 감사헌금 등에 이름을 쓰지 않고 드려 왔습니다. 그래서 시무장로가 되지 못했는가요? [너는 이미 상을 받았느니라.] 말씀이 늘 떠올랐습니다.

찬송가 가사

　제가 안수집사 회장일 때 일입니다. 한 집사님이
저에게 찾아와 심각하게 한 질문을 하는 것이었습니
다. "어떤 기도가 끝날 때 예수의 이름으로 기도합
니다라고 하는데 예수님이라 불러야 옳은 것 아닙니
까?" 이때 저는 대수롭지 않게 "찬송가에도 그냥
예수여 예수여 하고 그냥 부르니 예수의 이름으로라
고 불러도 괜찮은 것 같습니다." 라고 아무렇지 않게
쉽게 생각했습니다. 그때 그 집사님은 의아한 듯이
고개를 갸웃거리며 돌아갔습니다.

　그 후 문득 그때 일이 생각이 났습니다. 예수님께
선 "내가 너희를 친구라 하였노니" [요15:15중] 이
말씀을 들어 설명을 했더라면 하고 후회했습니다.

　그리고 오래 전에 어느 권사님의 간증을 들었던
생각이 났습니다. 찬송가의 가사가 '예수여 예수여'
이 대목을 '예수님 예수님' 이라고 해야 하신다고
주장 했습니다. 그 권사님의 말씀도 맞다고 생각이
들었습니다. 저는 여태까지 "예수님, 주님" 이라고
꼭 님자를 붙여 사용 해왔으나, 둘 다 틀리진 않다고

생각합니다만, 다행히도 개편 새 찬송가에는 '예수님 예수님'이라고 개편되어 있어 너무나 감사하고 기뻤습니다. 그러나 예수사랑하심은 찬송가의 2절 가사가 '저의 죄를 다 씻어' 늘 마음에 들어 좋았는데 '나의 죄를 다 씻어'로 바뀌어 있더군요.

우리의 구세주이신 친구이시니 계속 존대의 표시인 '님' 자를 사용하렵니다. 제가 세상에서 가장 존경하고 좋아하고 사랑하는 분이시니까.

요즘 일과

80대인 저의 요즘 일과는 성내천을 2, 3시간 걸으며 운동기구 운동을 하고 통기타와 전자오르간을 연주하며 밤에는 컴퓨터 바둑도 몇 시간씩 즐긴답니다.

음악을 좋아하며 평생 성가대원으로 봉사하면서 느낀 소감은 찬송가든 복음성가든 작곡 작사자가 영감을 받아 매우 어렵게 한 곡씩 탄생 시켰는데 편곡하는 사람들은 작사자와 작곡자의 가사와 곡을 자기 멋대로 변경하는 일을 너무나 많이 봅니다. 본래의 가사와 곡에 익숙했던 저는 도리어 불쾌감을 느낀답니다. 작곡하고 싶으면 남의 곡을 건드리지 말고 스스로 하고픈 대로 해야 옳을 것 같습니다.

매일 2, 3시간씩 걷기 운동을 하는데 반드시 이어폰으로 극동방송을 들으면서 그때마다 나오는 음악을 들으며 같이 부르며 은혜를 받고 있는데 갑자기 변질된 가사나 곡이 나오면 저의 노래는 그만 뚝 끊기고 여태까지의 은혜는 그 흠집으로 말미암아 까맣게 사라지고 만답니다.

복음성가 작곡

이 책에 제가 작사 작곡한 복음성가를 몇 곡 올립니다. 은혜받은 자의 고백입니다.

자 장 가

시.작곡 강훈경

1. 우리 아기 착한아 - 기   자장자장 잘도잔 - 다
2. 우리 아기 웃으면 - 서   자는 모습 예 - 뻐 - 라
3. 우리 아기 배가고파 - 서   울고 짜도 예 - 뻐 - 요

우리 아기 예쁜아 - 기   새록새록 잘도 자란다
우리 아기 방긋웃으면   온 세상이 환 - 해져요
우리 아기 싸고 또싸고   먹고 자고 너무예뻐요

천사 같이 자는그모습   우리집에 웃음이 가득

엄마아빠 할아버 - 지   할머 - 니도 싱글벙 - 글

하나님께서 우릴보시고   고요히버소 지으신 - 다.

2005. 4. 14.

웃는 집에 복이온다

이 손을 잡아 주소서

강 훈 경 시곡

사랑(애경이)의 하루

작곡 강훈경
작사 강형수

1.아 버 지 는 아 침 일 쯕 퇴 사 가 시 고
2.조 금 있 다 우 리 엄 마 장 에 가 시 면
3.해 지 도 록 하 나 둘 이 모 여 오 시 면

언 니 오 빠 모 두 모 두 학 교 가 시 면
모 두 모 두 떠 나 고 서 나 안 남 았 네
언 니 오 빠 아 버 지 가 모 두 오 셔 도

엄 마 하 고 나 하 고 하 나 둘 이 남 았 네
나 · 하 고 그 림 자 하 나 둘 이 남 았 네
엄 마 엄 마 · 안 왔 어 하 나 하 나 남 았 네

2001. 12.

* 아버지는 애경이를 사랑이라 불렀음

자유함을 입었도다

강 훈 경 시곡
02년 11월11일
이사야 53장5절

1.창조 주 하 나 님 은 　우 리 를 사 랑 하 사 　독 생 자 예 수 님 을
2.그 분 의 찔 · 림 은 　허 물 을 인 함 이 요 　그 분 의 상 · 함 은
3.예 수 님 죽 율 시 고 　예 수 님 죽 율 시 고 　죽 율 수 밖 에 없 는

세 상 에 보 내 셨 네 　십 자 가 대 신 지 고 　우 리 를 살 리 셨 네
죄 악 을 인 함 이 라 　그 분 의 고 통 으 로 　사 함 율 입 · 었 고
우 리 를 살 리 셨 네 　징 계 율 받 음 으 로 　평 화 를 누 · 리 고

길 이 요 생 명 이 신 　우 리 의 구 주 시 라 　아 멘 할 렐 루 야
그 분 의 희 생 으 로 　구 원 을 얻 었 도 다
채 찍 에 맞 음 으 로 　나 음 을 입 었 도 다

아 멘 할 렐 루 야 　예 수 님 할 렐 루 아 　자 유 함 을 입 었 도 다

[진달래 출판사 간행목록]

율리안 모데스트의 소설
『상어와 함께 춤을 추는 철새』(단편소설집)
『바다별에서 꿈의 사냥꾼을 만나다』(단편소설집)
『바다별』(단편소설집, 오태영 옮김)
『꿈의 사냥꾼』(단편소설집, 오태영 옮김)

장정렬 번역가의 번역서
『사랑과 죽음의 마지막 다리에 선 유럽 배우 틸라』,
『상징주의 화가 호들러의 삶을 뒤쫓아』,
『크로아티아 전쟁체험기』(Spomenka Ŝtimec 지음)
『희생자』(Julio Baghy 지음)
『피어린 땅에서』(Julio Baghy 지음)
『무엇때문에』(Friedrich Wilhelm ELLERSIE 지음)
『밤은 천천히 흐른다』(이스트반 네메레 지음)
『메타 스텔라에서 테라를 찾아 항해하다』,
『살모사들의 둥지』(이스트반 네메레 지음)
『파드마, 갠지스 강의 무용수』(Tibor Sekelj 지음)
『대초원의 황제 테무친』(Tibor Sekelj 지음)

기타
『안서 김억과 함께하는 에스페란토 수업』(오태영)
『그리운 노래는 가슴에 묻고』(오태영)
『본향을 향하여』(오태영)
『에스페란토의 아버지 자멘호프』(이토 사부로, 장인자)
『사는 것은 위험하다』(이스트반 네메레 지음, 박미홍)
『자멘호프 에스페란토의 창안자』(마조리 볼튼, 정원조)

오석원 귀농시인의 작품

『코로나19시대 은퇴한 시골노인의 봄이야기』
『코로나19시대 은퇴한 시골노인의 여름이야기』
『코로나19시대 은퇴한 시골노인의 가을이야기』
『코로나19시대 은퇴한 시골노인의 겨울이야기』
『생거진천에서 자연을 벗삼아』
『자연과 함께 엮어가는 삶』
『귀농시인의 희수를 맞아』

오연자 일본선교사의 작품

『중국드라마에 빠져서』
『일본드라마에 빠져서』

미주 중앙일보 임경옥 작가의 작품

『시카고 억새꽃』
『시카고 들꽃』

이용곤 목사의 작품

『어디에나 길은 있다』
『어디에나 진리는 있다』

김화숙 시인의 작품

『낯설고도 익숙한』

조영황 시인의 작품

『두 손 들고』
『고백하지 못한 사랑』